Mitsi

Éditions J'ai Lu

DELLY | ŒUVRES

DELLY

Mitsi

PREMIÈRE PARTIE

1

Ce matin de juin, une amazone et deux cavaliers parcouraient au petit trot la route large, bien entretenue, bordée de vieux arbres, qui conduisait aux forges de Rivalles et à la superbe résidence désignée dans le pays sous le nom de « Château Rose ». L'amazone était jeune, très blonde et d'une incontestable beauté. Les yeux d'un bleu vif avaient beaucoup d'éclat et la fraîcheur du teint pouvait soutenir toutes les comparaisons. Elle montait fort bien, avec beaucoup d'aisance. Son compagnon de gauche fit remarquer :

— Vous devenez une excellente écuyère, Florine.

Celui-là était le directeur des forges, Flavien Parceuil. Bien qu'il eût dépassé largement la soixantaine, il restait d'allure encore jeune et, visiblement, était plein d'activité. Une barbe grise très soignée terminait son visage long et pâle, creusé de petites rides. La bouche avait un pli dur, et les yeux se cachaient fréquemment sous de molles paupières flétries par l'âge.

Le second cavalier n'était autre que Christian Debrennes, vicomte de Tarlay, maître et seigneur non seulement des importantes forges de Rivalles et du Château Rose, mais encore d'une grande partie du pays, fort loin à la ronde.

Le beau Tarlay, comme on l'appelait à Paris et dans tous les endroits à la mode. Il venait d'atteindre ses vingt-trois ans. Cinq ans auparavant, en 1870, il s'était engagé, avait combattu avec une ardente bravoure. Puis, la guerre finie, il avait repris ses études qu'il menait brillamment, la nature l'ayant doué d'une rare intelligence et d'une extrême facilité. Il commençait alors de s'occuper des forges dont son père, toujours malade, laissait la direction à Parceuil, leur parent éloigné. Mais bientôt, le jeune homme n'avait plus guère songé qu'à l'existence mondaine qui lui réservait des succès bien faits pour flatter son orgueil. Adulé chez lui et au-dehors, disposant d'une fortune presque sans limites, puisque chaque année les forges prenaient plus d'importance, il était devenu le plus parfait égoïste du monde, n'ayant souci que de satisfaire sa volonté fantasque et ses désirs impérieux.

Ce n'était pas sa grand-mère paternelle, la présidente Debrennes, qui aurait cherché à le détourner de cette voie. Christian, descendant par son aïeule maternelle de la très noble race des vicomtes de Tarlay, et par son grand-père, Jacques Douvres, d'une opulente famille de la vieille bourgeoisie d'Ile-de-France, avait, assurait-elle, mieux à faire que de diriger par lui-même ces forges qu'il avait plu audit grand-père, homme d'une activité dévorante, d'établir dans ce pays, près du château de Rivalles, bâti par les Tarlay au cours du XVIIe siècle.

Flavien Parceuil, de son côté, trouvait cette situation fort à son gré. Il y avait en cet homme un besoin de domination, ou plutôt de tyrannie qu'il pouvait assouvir dans la direction dont Christian lui abandonnait l'entière responsabilité.

Laissant de côté le chemin qui menait aux forges, les promeneurs s'engageaient dans la magnifique allée de hêtres au bout de laquelle se dressait une grille immense, chef-d'œuvre de ferronnerie. Au delà s'étendait une cour d'imposantes proportions. A droite et à gauche, des bosquets touffus dissimulaient communs et écuries. En face, dans la chaude lumière de juin, apparaissait un délicieux petit palais dans le style du XVIIᵉ siècle, décoré de marbre rose et formant un corps de logis principal avec deux ailes en retour.

Comme l'amazone et les cavaliers allaient atteindre la grille, ils dépassèrent une femme et une petite fille qui marchaient d'un pas lassé. La femme était grande, forte, d'aspect commun, vêtue en campagnarde endimanchée. La petite fille portait une robe mal faite, d'étoffe grossière, qui engonçait complètement son frêle petit corps. Un affreux chapeau de paille brune, garni d'un ruban fané, s'enfonçait jusqu'à ses yeux, cachant ainsi presque tout son visage menu et très brun. Elle portait un sac qui paraissait assez lourd et sa compagne avait au bras un pesant cabas. Au moment où le cheval de Florine passait près d'elle, il se cabra, recula et la renversa. Un cri d'effroi s'échappa des lèvres de la femme. Christian, qui se trouvait en avant de ses compagnons, se détourna et demanda vivement :

— Eh bien ! qu'y a-t-il ? Cette enfant est-elle blessée ?

Mais déjà elle se relevait, en disant d'une voix tremblante :

— Non, je n'ai rien...

— Petite sotte, ne pouviez-vous marcher tout au bord de la route ? s'écria sèchement Florine.

Parceuil dit entre ses dents :

— Voilà des gens que Laurent va mettre promptement à la porte, j'imagine.

Christian avait fait repartir sa monture. Il restait silencieux, avec son air distrait et hautain des mauvais jours. Florine glissait vers lui des regards inquiets et brûlants dont il ne paraissait pas s'apercevoir.

Des palefreniers, qui guettaient le retour des promeneurs, vinrent prendre les chevaux tandis que Christian, la jeune fille et Parceuil entraient dans le vestibule aux murs couverts de porphyre et que décoraient des statues d'une grande beauté.

L'une des portes à double battant donnant sur ce vestibule était ouverte, laissant voir un salon à trois fenêtres où se trouvaient en ce moment deux personnes. L'une d'elles, une femme âgée, aux traits accusés, vêtue de faille vert foncé, quitta le fauteuil qu'elle occupait et s'avança en demandant :

— Eh bien, avez-vous fait bonne promenade ?

Elle s'adressait à tous, mais son regard s'attachait plus particulièrement à Christian. Ce fut lui qui répondit avec indifférence :

— Mais oui, grand-mère... La chaleur n'était pas trop forte encore... n'est-ce pas, Florine ?

— Non... un temps délicieux, chère marraine !

La présidente inclina la tête en signe de satisfaction, tout en glissant un coup d'œil complaisant vers le beau couple que formaient sa filleule et son petit-fils, en ce moment l'un près de l'autre.

Florine, mince et souple, atteignait presque la taille cependant élevée de Christian. Sa chevelure semblait plus blonde encore près des épaisses boucles brunes que le jeune homme venait de découvrir pour saluer sa grand-mère, en lui baisant la main.

Parceuil demanda, tout en serrant à son tour cette main blanche garnie de fort belles bagues anciennes :

— Comment va Louis, ce matin ?

La présidente se détourna à demi, en jetant un coup d'œil vers la fenêtre la plus éloignée. Un homme était assis là, enfoncé dans les coussins d'une bergère. Son pâle visage creusé témoignait des ravages faits par la maladie. Dans les yeux noirs très doux, une profonde tristesse paraissait à demeure et disparut à peine pendant quelques secondes quand Christian, entrant dans le salon, vint à lui et se pencha pour lui prendre la main en demandant :

— Vous sentez-vous mieux, ce matin, mon père ?

— Non, pas mieux du tout, mon enfant.

Il enveloppait d'un regard d'ardente tendresse, où passait une lueur d'orgueil, le beau garçon élégant, d'une distinction raffinée, qui était son fils unique.

A mi-voix, répondant à l'interrogation de Parceuil, la présidente disait à ce moment même :

— Il a été fort souffrant cette nuit. Marcelin a dû se lever pour lui donner de la morphine.

Puis elle se recula et entra dans le salon où la suivirent M. Parceuil et Florine.

Louis Debrennes demanda, avec un accent un peu voilé :

— Tout va bien aux forges, Flavien ?

— Mais oui, cher ami. Avec mon système, c'est-à-dire la poigne de fer, cela marche toujours, en dépit des récriminations qui, d'ailleurs, n'osent s'exprimer tout haut.

La présidente approuva, tout en reprenant place dans le fauteuil qu'elle occupait en face de son fils :

— Vous êtes fait pour gouverner ces gens obtus et insupportables, Flavien. Aussi ai-je vu avec plaisir Louis se désintéresser complètement de cette direction. Sa trop grande faiblesse n'aurait pu que nuire aux intérêts de Christian.

M. Debrennes avoua :

— En effet, je ne savais pas résister aux sollicitations. Mais vous, Flavien, peut-être exagérez-vous en sens contraire...

La présidente l'interrompit :

— Non, non, pas le moins du monde ! Un chef d'industrie ne peut se permettre des sensibleries, mon cher Louis.

Ce « mon cher Louis » fut prononcé avec un accent de condescendance un peu dédaigneuse, assez habituel chez la présidente Debrennes à l'égard de son fils. Cette imposante dame au front orgueilleux, à l'âme froide et méprisante pour tout ce qui n'était pas la haute société dont elle faisait partie, avait toujours combattu chez Louis une vive tendance à l'indulgence, à la compassion pour les misères d'autrui. La vanité, en elle, le disputait à une complète sécheresse de cœur et à une ambition que seule avait pu assouvir l'union de son fils avec la fille de Jacques Douvres, l'opulent maître de forges, et de Jeanne de Tarlay, dernière descendante des puissants seigneurs normands de ce nom.

Louis Debrennes n'insista pas davantage. Depuis longtemps il avait renoncé à lutter contre sa mère et Parceuil.

La belle Florine s'était rapprochée de Christian. Elle demanda d'une voix aux modulations caressantes, en le couvrant d'un regard ardent et humble à la fois :

— Viendrez-vous me donner quelques conseils pour ma peinture, ce matin ?

Il lui jeta un coup d'œil de côté. On disait, dans le monde, que les femmes les mieux douées d'aplomb ne pouvaient supporter sans baisser les yeux le regard de ces prunelles étincelantes, où l'ironie semblait à demeure, se faisant tour à tour caressante ou impérieuse. Ces yeux d'un bleu foncé, qui semblaient noirs à certains moments, étaient doués d'un charme dominateur dont Florine n'était pas la première à faire l'expérience.

Négligemment, le jeune homme répondit :

— Peut-être.

A ce moment, la porte du vestibule fut ouverte, puis un domestique apparut au seuil du salon.

— Qu'est-ce, Baptiste ? demanda Mme Debrennes.

— Madame la présidente, il y a là une femme avec une petite fille qui demande à voir M. Parceuil.

Florine fit observer :

— Ce doivent être celles que nous avons dépassées tout à l'heure, près de la grille...

Parceuil fronça les sourcils :

— Êtes-vous fou, Baptiste ?... Vous auriez déjà dû mettre ces gens-là dehors... Et d'abord, comment Laurent les a-t-il laissées entrer ?

— La femme prétend que Monsieur connaît bien la petite fille, qu'il est son tuteur...

Parceuil tressaillit ; une lueur s'alluma dans son regard pendant quelques secondes.

La présidente avait eu un brusque mouvement de surprise et de colère. Quant à Louis Debrennes, il devint plus pâle encore et quelques mouvements nerveux agitèrent son visage.

Mme Debrennes dit avec irritation :

— Que signifie cela ?... Pourquoi nous envoie-t-on cette enfant ?

Parceuil dit entre ses dents :

— C'est ce que je vais voir.

Il ordonna :

— Faites entrer dans le vestibule, Baptiste.

Et lui-même se dirigea de ce côté.

Christian demanda :

— C'est la fille de la ballerine ?

La présidente inclina affirmativement la tête. Puis elle expliqua :

— Sa nourrice est morte il y a un mois. Flavien avait écrit au mari de cette femme pour qu'il continue de garder l'enfant... Et voilà que cet individu la renvoie, sans prévenir ! C'est inconcevable !

Elle se dirigea à son tour vers le vestibule, d'un pas majestueux.

Florine se tourna vers Christian, en demandant :

— De quelle ballerine parlez-vous ?

— Un cousin germain de ma mère, Georges Douvres, avait connu à Vienne une danseuse hongroise dont il eut une fille. Il périt dans un incendie, peu avant la naissance de l'enfant. Cette femme prétendit alors qu'ils avaient été mariés, que la petite était la fille légitime de Georges. Mais elle ne put montrer aucune pièce à l'appui de ses dires. Parceuil s'occupait de l'affaire, car mon grand-père Douvres était à ce moment fort malade... Sur ces entrefaites, on trouva la danseuse morte un matin, étouffée par un mystérieux assassin dont on ne put retrouver la trace. Parceuil, voyant l'enfant seule au monde, en eut compassion et la ramena en France. Il la confia à une paysanne normande, et elle est restée là jusqu'à ces derniers jours...

Tout en parlant, Christian s'avançait vers le vestibule et Florine le suivit. Ils arrivèrent au moment où, sur les pas du valet, apparaissait la femme, une forte Normande à la mine décidée, qui tenait par la main l'enfant visiblement intimidée.

Parceuil apostropha l'arrivante, sans aménité :

— Pourquoi m'amenez-vous cette petite ?... A quoi songe donc Larue ?

— Voilà, monsieur, ce pauvre Larue est quasiment fou depuis la mort de sa femme. Il ne veut plus garder Mitsi et, comme je venais à Paris, il a profité de l'occasion pour me confier l'enfant et me charger de vous l'amener.

La femme s'exprimait avec assurance et ne paraissait aucunement gênée par les regards mécontents ou furieux qui s'attachaient à elle.

Parceuil dit avec une colère difficilement contenue :

— Il aurait pu au moins se donner la peine de me prévenir, cet individu, avant de m'expédier cette petite !... J'aurais pris alors des dispositions en conséquence.

12

— Il n'est guère capable de réfléchir en ce moment, le pauvre !... Et puis, Mitsi ne vous gênera guère, dans ce grand château. Elle est bien élevée la mignonne, et saura se tenir tranquille.

Parceuil dit brusquement :

— C'est bon, laissez-la, puisqu'il n'y a pas moyen de faire autrement... Que vous dois-je pour votre dérangement et le voyage de l'enfant ?

— Rien du tout, monsieur. Larue m'a donné l'argent nécessaire sur le trimestre que vous lui aviez envoyé... Alors, messieurs, mesdames et la compagnie, je vous salue bien.

Elle se pencha vers l'enfant, qui demeurait immobile, sa main brune, toute petite, serrant convulsivement les gros doigts rouges de la Normande :

— Au revoir, Mitsi. Soyez bien sage, n'est-ce pas ?

La petite fille leva la tête, et cette fois ses yeux apparurent, dans l'ombre du vilain chapeau brun. C'étaient des yeux extraordinairement beaux et vivants, d'un brun velouté, doré, sur lesquels tremblaient de longs cils noirs. En ce moment, ils exprimaient une angoisse telle que le cœur peu sensible de la Normande en fut ému :

— Allons, allons, ma belle, ne vous faites pas de chagrin. Ces messieurs et ces dames ne vous avaleront pas... Embrassez-moi, ma petite Mitsi.

L'enfant offrit sa joue au baiser sonore de sa compagne. Puis celle-ci, après un petit salut, franchit la porte du vestibule que tenait ouverte le valet.

Mitsi demeurait seule en face de Parceuil et de la présidente qui, tous deux, ne cherchaient pas à dissimuler leur vive contrariété. Plus loin, Christian s'appuyait au chambranle de la porte. Il considérait avec indifférence la scène qui se passait devant lui, tout en frappant à petits coups sa botte, de la cravache qu'il tenait à la main. Près de lui, Florine jetait des regards dédaigneux sur la petite créature engoncée dans sa vieille robe fripée par le voyage.

La présidente demanda, en se tournant vers Parceuil :

— Eh bien, qu'allons-nous faire, Flavien ?

— Je vais y réfléchir... En attendant, Léonie pourrait s'en occuper ?

— Évidemment... Mais on ne dirait jamais que cette petite a treize ans !

Florine répéta d'un ton stupéfait :

— Treize ans ?... Ce n'est pas possible ! Elle en paraît huit !

— C'est ainsi pourtant... Êtes-vous bien portante, petite ?

Une voix un peu tremblante, au timbre harmonieux, répondit :

— Je n'ai jamais été malade, madame.

— Alors, pourquoi êtes-vous si chétive ? Vous aviez cependant de quoi manger, chez les Larue ?

— Oui, madame.

La présidente eut un léger mouvement d'épaules, en disant entre ses dents :

— Sait-on d'où elle sort, et quelles tares physiques ou morales existent dans sa famille ?

Mitsi l'entendit sans doute, car elle tressaillit, et ses yeux exprimèrent une sorte d'angoisse, pendant quelques secondes.

Parceuil étendit la main vers une des banquettes garnies de tapisserie qui se trouvaient dans le vestibule :

— Assieds-toi là. Tout à l'heure, la femme de charge s'occupera de toi.

Et, tournant le dos, il vint à Christian :

— Voulez-vous, mon cher ami, me donner votre avis au sujet de l'affaire dont je vous parlais hier ?

— Non, Parceuil, agissez pour le mieux. J'ai toute confiance dans vos capacités.

14

— Je vous en remercie, mon cher Christian. A tout à l'heure.

Il se dirigea vers une des autres portes ouvrant sur le vestibule... Bien que sa résidence habituelle fût aux forges, dans un élégant pavillon, il avait ici un appartement où il demeurait fréquemment pendant le séjour des Debrennes à Rivalles. Pour la présidente, il était une sorte de confident, de conseiller très influent. Louis Debrennes subissait passivement sa domination. Seul, Christian, par son caractère indépendant, volontaire et orgueilleux, échappait au joug que Flavien Parceuil faisait peser autour de lui.

Sans plus s'occuper de Mitsi, la présidente revenait au salon. Elle s'arrêta près de son petit-fils, en demandant :

— Quand attends-tu tes amis, mon cher enfant ?

On n'aurait pu croire que cette intonation douce, caressante, sortît de la même bouche qui parlait tout à l'heure à l'enfant avec tant de sécheresse.

Sans quitter son attitude nonchalante, Christian répondit :

— Demain ou après-demain, grand-mère.

Florine dit avec vivacité :

— Ce sera charmant !... Nous organiserons des choses amusantes. J'ai trente-six idées en tête, figurez-vous ! Tiens, à propos, j'aurai besoin d'une petite bohémienne, pour réaliser l'une d'elles ! La petite, là-bas, fera tout à fait mon affaire... Comment l'appelez-vous ? Mitsi ? Où a-t-on été chercher ce nom-là ?

Mme Debrennes expliqua :

— C'est celui que sa mère lui avait donné. Parceuil n'a pas cru devoir le changer, car cela n'avait aucune importance. Cette enfant ne peut d'ailleurs que nous être antipathique, vu son origine et les tares morales qu'elle doit porter en elle. Par charité, nous ne la laisserons pas à l'abandon, nous lui donnerons les moyens de vivre modestement plus tard — si elle reste honnête, ce dont nous pouvons douter! Mais j'avoue que je dois me faire violence pour ne pas rejeter loin de mes yeux la fille de cette misérable ballerine!

Comme la présidente ne prenait pas la peine de baisser la voix, chacune de ses paroles devait être entendue par la petite fille assise dans le vestibule.

Christian eut un rire moqueur :

— Ne soyez pas en peine du sort de cette jeune personne, grand-mère. Avec des yeux comme les siens, dans quelques années d'ici, elle ne sera pas embarrassée pour se tirer d'affaire, sans votre aide.

— Quoi donc?... Qu'ont-ils donc de particulier, ses yeux?

Il rit de nouveau :

— Vous ne les avez donc pas vus?... Regardez-les bien, et vous constaterez qu'ils sont extraordinaires... Des yeux de feu, positivement. Ils paraissent d'autant plus singuliers dans ce petit visage d'enfant, sans beauté. Mais ils suffiront à faire de votre protégée une personne peu banale.

Sur ces mots, il quitta le salon, par une des portes latérales donnant sur le large corridor qui desservait toutes les pièces du château.

La présidente se tourna vers sa filleule :

— Va te déshabiller, chère belle.

Quand la jeune fille eut disparu, Mme Debrennes fit observer, en s'asseyant de nouveau en face de son fils :

— Cette Florine est délicieuse!... Un caractère charmant, une beauté qui s'affirme chaque jour... Christian paraît la trouver à son goût et je m'en réjouis.

Louis sembla faire effort pour chasser une pensée absorbante :

— Vous m'étonnez, ma mère. Je croyais que vous souhaitiez pour lui une jeune fille pourvue à la fois d'une origine très aristocratique et d'une très grosse dot.

— J'ai eu en effet cette ambition... Mais depuis que je vois quelle femme charmante est Florine, je me demande si ce n'est pas elle, tout simplement, qui ferait le bonheur de notre cher Christian.

— Oui, c'est possible...

De nouveau, M. Debrennes semblait ressaisi par sa préoccupation... Pendant un instant il regarda sa mère qui reprenait le livre abandonné au moment de l'arrivée des promeneurs. Puis il dit, avec une hésitation dans la voix :

— Si, pourtant, cette petite était bien la fille légitime de Georges Douvres ?

Mme Debrennes eut un sursaut et attacha sur son fils un regard chargé d'indignation :

— Es-tu fou ?... A quel propos ce doute ? Parceuil a pu constater le mensonge de cette femme.

— Oui... certainement. Mais pourtant, ces paroles rapportées par le valet de chambre... Et Georges, avec sa nature scrupuleuse, était de ceux qui réparent leurs fautes, quoi qu'il puisse leur en coûter.

Une rougeur de colère monta au visage de la présidente et sa voix trembla d'irritation en ripostant :

— Georges était une nature faible, influençable, proie toute désignée pour une intrigante. Mais, comme tous les Douvres, il avait l'orgueil de son vieux nom, pur de toute tache, et n'aurait pas été le donner à une femme de cette sorte !

— Je suis de votre avis sur ce point. Mais cette Ilka Drovno était-elle bien la créature déchue que nous a représentée Parceuil ? Celui-ci, je l'ai remarqué parfois, n'est pas toujours l'impartialité même et, dans son zèle pour défendre les intérêts de mon beau-père et de Christian, il a pu exagérer...

Mme Debrennes leva les mains au plafond, dans un geste d'indignation fort dramatique :

— Et c'est toi, Louis, toi qui bénéficies chaque jour de son dévouement... c'est toi qui oses de telles insinuations contre cet excellent Parceuil ! Oh ! si la providence ne nous avait opportunément délivrés de cette créature, elle aurait eu beau jeu de venir faire du chantage près de toi, pauvre cœur naïf ! Non, mon enfant, calme les scrupules de ta conscience, car nous n'avons rien à nous reprocher, bien au contraire. En nous occupant de cette enfant, dont rien ne nous garantit même qu'elle soit la fille de Georges, nous faisons plus, beaucoup plus que notre devoir.

Louis ne répliqua pas, cette fois. Un pli soucieux demeurait pourtant sur son front... Mme Debrennes reprit sa lecture. Mais de temps à autre, elle glissait vers son fils un regard assombri, où passait une lueur de colère mêlée d'une sorte d'inquiétude.

2

En se réveillant le lendemain dans l'étroite petite chambre que lui avait attribuée Léonie, la femme de charge, Mitsi se demanda un moment où elle se trouvait... Puis le souvenir lui revint, accompagné de la souffrance poignante qui, la veille, l'avait fait sangloter longtemps dans la nuit.

Seule ici, au milieu d'étrangers qu'elle avait pressentis aussitôt hostiles, ou tout au moins indifférents, elle se sentait comme perdue et sa pauvre jeune âme en détresse avait peine à se ressaisir.

Pourtant son existence chez les Larue n'avait rien eu de particulièrement heureux. Sa nourrice n'était pas mauvaise pour elle et la soignait bien ; mais elle n'avait pas une nature affectueuse et ne comprenait rien à l'âme ardente, délicate et très affinée de cette enfant que Parceuil lui avait confiée en disant :

— Apprenez-lui à travailler pour gagner sa vie, car elle n'a rien à attendre de personne en ce monde.

Euphémie Larue avait plus d'une fois répété ces paroles à sa nourrissonne, et avait mis en pratique l'invitation de celui qui s'était présenté comme le tuteur de la petite fille. Mais elle avait eu soin de ménager les forces de cette petite Mitsi, dont l'enfance était délicate. M. Parceuil payait une somme convenable, qui ferait défaut dans le ménage si l'enfant venait à mourir... Mitsi avait donc été employée de préférence aux travaux de l'intérieur; elle avait gardé les vaches, besogne peu fatigante, et mené les oies à la pâture. Euphémie ne négligeait pas non plus de l'envoyer au catéchisme et à l'école. A l'un et à l'autre, Mitsi Vrodno — c'était le nom de sa mère — avait fait montre d'une vive intelligence et d'un grand désir d'apprendre davantage.

Elle n'avait pas d'amies, parmi les petites paysannes des alentours. Son caractère était réservé, un peu sauvage. Elle passait des heures en songeries tristes, tout en gardant le bétail dans les prés des Larue. Presque toujours, sa pensée revenait vers l'énigme de sa naissance. Une nièce de sa nourrice, la grosse Céline Dublanc, qui était jalouse d'elle, lui avait dit un jour, avec un ricanement mauvais :

— On ne sait pas d'où tu sors... Tes parents, qui étaient-ils?... Pas grand-chose de bon, probablement.

Ces paroles avaient pénétré profondément dans l'âme vibrante de Mitsi. La nourrice, questionnée par elle, répondait en toute bonne foi :

— C'est vrai qu'on ne sait pas qui c'est. M. Parceuil m'a dit qu'ils étaient morts et que tu n'avais personne au monde qui puisse s'occuper de toi, sauf lui, qui le fait par charité.

Mitsi, à dater de ce moment, était devenue de plus en plus songeuse et mélancolique — de plus en plus sauvage, disaient les gens du pays. Son jeune cœur se fermait sur les trésors d'affection qu'il contenait, sa nature délicate recherchait la solitude, dans un secret désir de fuir les contacts vulgaires. Euphémie, tout en disant : « La drôle d'enfant ! » la laissait libre sur ce point, dont elle se souciait peu.

Et tout à coup, la petite créature un peu farouche se trouvait transplantée dans ce milieu étranger, complètement différent de celui où elle avait vécu jusqu'alors. Elle avait entrevu des splendeurs dont elle n'avait jusque-là aucune idée. Des personnages inconnus l'avaient toisée avec dédain... Et elle avait entendu les paroles prononcées par l'imposante vieille dame, avec tant d'écrasant mépris.

Ainsi donc, elle n'était pour ces étrangers qu'un être antipathique dont on s'occupait seulement par charité... On paraissait même douter qu'elle fût honnête plus tard, et l'on devait se faire violence pour ne pas rejeter loin de soi « la fille de cette misérable ballerine ».

Une ballerine ?... Cette expression ne disait rien à Mitsi. Mais à l'accent de la vieille dame, elle comprenait que celle-ci considérait une personne de cette sorte comme un rebut d'humanité.

Maintenant, elle se tenait assise sur le lit, son corps frêle un peu penché, les mains jointes et crispées. Autour de son mince petit visage, les cheveux s'éparpillaient en boucles courtes, d'un noir brillant. Elle était ainsi d'une grâce touchante, la petite Mitsi, et ses beaux yeux pleins d'angoisse auraient attendri un cœur de fauve.

Mais Léonie, la femme de charge, ignorait toute sensibilité. Elle entra brusquement, l'air revêche, la parole autoritaire...

— Pas encore levée ?... Voulez-vous bien vous dépêcher, petite fainéante? Dans un quart d'heure, j'enverrai quelqu'un pour vous chercher et vous mener déjeuner. Puis vous reviendrez faire votre chambre... Et tâchez de vous conduire de telle sorte qu'on ne s'aperçoive pas que vous êtes ici.

Pauvre Mitsi, elle ne demandait que cela : passer inaperçue. Mais il lui fallut, ce jour-là, subir la curiosité des domestiques, avec lesquels la présidente avait décrété qu'elle prendrait ses repas. Encore n'était-ce que le personnel secondaire, l'autre — premiers valets et femmes de chambre, premiers cochers et autres importants personnages de cette catégorie — faisaient bande à part du menu fretin.

La timidité un peu farouche de Mitsi fut prise aussitôt pour de la fierté. Une jeune et très élégante femme de chambre se moqua de ses gros souliers, de ses bas épais, de sa vieille robe mal faite. Une autre, grande fille pâle, aux yeux tristes, prit la défense de l'enfant.

— Laissez-la donc, Adrienne. Ce n'est pas sa faute si elle est pauvrement mise, cette petite.

Adrienne haussa les épaules :

— Eh bien, quoi, on ne peut plus s'amuser?... Toujours prêcheuse, Marthe !... Tenez, regardez-moi donc quel air fiérot elle prend, cette petite mendiante !

Les autres se mirent à rire. Seule, Marthe considéra avec un intérêt compatissant la jeune fille qui rougissait, en essayant de faire bonne contenance.

Dans la journée du lendemain, quatre hôtes arrivèrent au Château Rose. C'étaient des jeunes gens amis de Christian : Ludovic Nautier, fils d'un peintre en renom, Thibaud de Montrec, Alban des Sarcettes et Olaüs Svengred, un Suédois qui avait été le plus intime camarade d'enfance de M. de Tarlay.

Ils venaient passer deux ou trois semaines à Rivalles, dont l'hospitalité fastueuse était bien connue et les chasses renommées dans toute la haute société européenne.

Puis, la semaine suivante, arriveraient d'autres invités, parmi lesquels devait se trouver la jeune comtesse Wanzel, qui appartenait à une des plus nobles familles d'Autriche. Elle était veuve et fort riche. Christian avait fait sa connaissance l'année précédente, pendant un séjour à Vienne. Elle venait passer quelques mois en France et avait manifesté le désir de connaître Rivalles. Tout aussitôt, Mme Debrennes, qui faisait les honneurs chez son petit-fils, lui avait adressé une invitation en règle à laquelle la jeune femme avait gracieusement répondu.

— Voilà qui va faire faire la grimace à Mlle Dubalde, disait Adrienne, spécialement attachée à Florine. Elle est folle de M. le vicomte et ne sait quelles coquetteries imaginer pour lui plaire. Aussi verra-t-elle d'un mauvais œil cette noble étrangère, qui se rangera peut-être parmi ses nombreuses rivales.

Martial, le second valet de chambre de M. de Tarlay, répliqua en riant :

— Oh ! elle y est déjà ! Vous pouvez penser qu'à Vienne, M. le vicomte était aussi remarqué qu'à Paris, et la comtesse Wanzel passait pour l'une de ses plus dévotes admiratrices... Mais je doute qu'elle lui plaise. Elle n'est pas jolie, on la dit peu intelligente...

— Oui, mais elle est d'une grande famille, et sa fortune est très considérable. M. le vicomte la trouvera peut-être à son goût pour l'épouser...

— Ça, je n'en sais rien... Mais je serais bien étonné qu'il songe à se marier si jeune. Il aimera mieux garder sa liberté pendant quelques années encore.

Adrienne leva les épaules en répliquant ironiquement :

— Avec ça qu'il se gênera pour la garder quand même !

22

Mitsi écoutait ces entretiens sans y apporter beaucoup d'attention. Elle continuait de vivre dans une solitude intérieure, comme à La Ménardière, chez sa nourrice. Le premier moment de curiosité passé, les domestiques ne s'occupaient plus d'elle. Seule, Marthe, la pâle jeune fille qui remplissait les fonctions de lingère, lui adressait parfois quelques mots d'amitié. Quand l'enfant avait fait les menus travaux dont la chargeait Léonie, elle était libre de s'en aller errer dans les merveilleux jardins et dans le parc immense qui s'en allait rejoindre la forêt, propriété, elle aussi, du vicomte de Tarlay. Elle y passait une partie de ses journées, évitant soigneusement de rencontrer aucun des habitants du château. De loin, un jour, elle avait aperçu la belle Florine et la majestueuse présidente, puis une autre fois, le jeune vicomte et deux de ses amis... Elle se demandait avec anxiété ce qu'on allait faire d'elle, et si les personnages disposant de son sort ne l'oubliaient pas.

Un après-midi, comme elle songeait tristement, assise au pied d'un arbre, elle vit surgir près d'elle un des grands valets portant la livrée de Tarlay :

— Ah ! Je vous trouve enfin !... Ce n'est pas malheureux ! Allons, ouste ! venez vite ! Mlle Dubalde vous demande.

Mitsi savait que cette demoiselle Dubalde était la jeune fille blonde entrevue par elle le jour de son arrivée. Tout en suivant le domestique, elle se demandait :

« Que me veut-elle ?... Peut-être va-t-elle me dire ce qu'on fera de moi ? »

La jeune fille, très animée, discutait avec Thibaud de Montrec et Ludovic Nautier, au sujet d'un proverbe qu'elle voulait faire représenter la semaine suivante sur un petit théâtre improvisé... Quand Mitsi apparut au seuil du salon, elle la désigna aux deux jeunes gens :

— Tenez, voilà qui nous fera une petite bohémienne assez réussie.

Montrec, un grand garçon brun, fort poseur, assujettit son monocle pour regarder l'enfant des pieds à la tête :

— Oui, pas mal... Avec quelques oripeaux éclatants...

— Je m'en charge... Viens, petite.

Mitsi, fort intimidée, la suivit dans la pièce voisine. Adrienne, la jeune femme de chambre, se trouvait là, sortant de cartons quelques pièces d'étoffes de couleurs vives. Sur l'ordre de Florine, Mitsi enleva sa vieille robe, et Adrienne, sur les indications de Mlle Dubalde, drapa autour d'elle une soierie rouge à rayures jaune d'or. Dans les boucles noires, Florine posa une sorte de calotte de velours rouge garnie de sequins dorés. Après quoi elle déclara :

— Oui, ce sera bien ainsi... Qu'en dites-vous, Adrienne ?

— Très bien, mademoiselle. Mitsi, avec sa peau brune, ses cheveux noirs et son air sauvage, a tout à fait l'air d'une bohémienne.

La petite fille se voyait tout entière dans l'une des glaces immenses qui ornaient le salon et se trouvait étrange dans ce déguisement. Une grande confusion s'emparait d'elle, à l'idée de paraître ainsi devant ces étrangers... Mais Adrienne, voyant son hésitation, la poussa par l'épaule en disant :

— Eh bien, n'entends-tu pas ce que te dit mademoiselle ?

En voyant entrer l'enfant dans le salon des Bergères, Nautier s'exclama :

— Parfait, parfait !... Une mignonne gipsy... Vous avez très bien choisi, mademoiselle.

— En effet, elle est gentille, concéda Montrec.

— Des yeux magnifiques ! ajouta Nautier. Et ce

petit air effarouché lui va très bien... D'où sort-elle, cette enfant ?

— C'est une petite créature abandonnée, dont M. Parceuil et Mme Debrennes ont eu pitié, et qui est élevée à leurs frais.

A ce moment la porte de l'appartement de Christian s'ouvrit, le jeune homme apparut, ayant à son bras Louis Debrennes, pâle et affaissé comme de coutume. Tous deux traversèrent le petit salon et entrèrent dans le salon des Bergères. Le regard moqueur de Christian, effleurant Mitsi qui baissait les yeux, s'arrêta sur Florine.

— Qu'est-ce que cette mascarade, ma chère ?

— L'enfant jouera le rôle de bohémienne dans le proverbe que nous préparons. N'est-elle pas bien ainsi ?

Christian eut un ironique haussement d'épaules :

— Oh ! si cela vous amuse !

Il fit un mouvement pour emmener son père vers un fauteuil. Mais M. Debrennes s'était arrêté et considérait Mitsi dont les beaux yeux effarouchés venaient de se lever sur lui avec une expression de prière timide.

De sa voix faible, il demanda, avec une intonation bienveillante :

— Qu'avez-vous, mon enfant ?... Désirez-vous quelque chose ?

Elle balbutia :

— Non, monsieur.

Car elle n'osait répondre qu'elle souhaitait qu'on la renvoyât à la solitude, loin de ces étrangers.

Christian dit en riant :

— Cette petite est tout simplement ennuyée d'être regardée comme une bête curieuse et traitée en poupée que l'on couvre d'oripeaux... N'est-ce pas, Mitsi, que j'ai bien deviné ?

Elle rougit sous le regard amusé quelque peu

moqueur, mais non malveillant, et répondit timidement :

— Oui, monsieur.

Louis Debrennes dit aussitôt :

— Alors, il faut la laisser tranquille, cette pauvre enfant... Ne la tourmentez pas davantage, Florine.

Mlle Dubalde riposta, avec une nuance d'impatience :

— Mais, cher monsieur, ne dirait-on pas que je la martyrise ?... Les enfants sont en général enchantés de se travestir et de jouer un rôle en public. Mais celle-ci me paraît une drôle de petite créature, assez sotte et désagréable.

— En tout cas, du moment que mon père le désire, il faut renoncer à votre projet, Florine.

Sur ces mots, prononcés d'un ton bref et décisif, Christian conduisit M. Debrennes à un fauteuil et l'aida à s'y installer.

Personne — fût-ce même la présidente, si autoritaire, cependant — ne discutait jamais ses volontés. Florine, souple et flatteuse comme nulle autre à son égard, s'y serait hasardée moins encore... Dissimulant sa mauvaise humeur, elle dit à Mitsi :

— Eh bien, va-t'en retrouver Adrienne et reprends tes vieilles nippes.

La petite fille ne se le fit pas répéter... Louis Debrennes, qui la suivait d'un regard intéressé, fit observer :

— Je ne sais trop ce que ma mère et Parceuil songent à faire de cette enfant.

Florine déclara :

— Marraine m'a dit que M. Parceuil s'informait d'un pensionnat modeste, où la petite resterait jusqu'à dix-sept, dix-huit ans. Après cela, on la mettrait en service...

M. Debrennes sursauta légèrement :

— En service ?... Elle... qui peut-être...

— Quoi donc?

Il jeta un coup d'œil vers Montrec et Nautier :

— Je veux dire qu'elle ne me paraît pas faite pour ce genre d'existence.

— Quelle idée, cher monsieur! Où prenez-vous cela?... Elle aura ainsi une condition honorable — beaucoup plus honorable que ne l'était celle de sa mère.

Nautier s'informa :

— Que faisait-elle, cette estimable dame?

— Des ronds-de-jambes, sur quelque théâtre de sixième ordre.

— Ah! bah!... et le père?

— Inconnu. L'enfant est une de ces misérables épaves que l'on essaie de sauver — sans grand espoir d'y parvenir.

M. Debrennes, une lueur dans le regard, interrompit la jeune fille avec irritation :

— Vous arrangez les choses à votre façon, et sans aucune charité, Florine! La mère de cette enfant n'était peut-être pas aussi dégradée que vous voulez bien l'imaginer. Quant au père... nous avons lieu de penser qu'il était des plus honorables... Et c'est aller un peu loin que de vouer d'avance la pauvre petite à la déchéance.

Christian dit railleusement :

— Ne savez-vous donc pas, mon père, que Florine se croit un jugement impeccable? Cette jeune Mitsi est bel et bien considérée par elle comme portant en son âme les germes de tous les vices. Le temps seul pourra nous apprendre si ce diagnostic est infaillible.

Florine lui jeta un regard de tendre reproche :

— Vous vous moquez de moi, Christian.

— Croyez que je ne me le permettrais pas!

Il la considérait avec une ironie caressante. Elle lui répondit par un regard où elle mettait toute sa passion, toute son humble soumission à celui qu'elle souhaitait ardemment d'avoir pour seigneur et maître.

3

Si Florine avait éprouvé quelque crainte jalouse, au sujet de la comtesse Wanzel, elle fut rassurée, en voyant cette petite brune sans beauté, qui n'avait pour elle que sa distinction et des toilettes d'un goût parfait. Au point de vue intellectuel, la jeune veuve paraissait également peu douée, sans toutefois être positivement sotte. Elle semblait gracieuse et bonne, et une grande habitude du monde lui donnait beaucoup d'aisance... Quant à ses sentiments pour M. de Tarlay, ils apparaissaient à tous les yeux. Mais l'intéressé ne faisait pas mine de s'en soucier le moins du monde, au grand contentement de Florine.

D'autres hôtes étaient arrivés encore et la domesticité de Rivalles se trouvait fort occupée. Mitsi restait donc plus isolée que jamais. Sur l'ordre de Léonie, qui avait constaté son habileté aux ouvrages d'aiguille, les lingères lui donnaient du travail qu'elle emportait à faire dans le parc. Elle évitait le séjour des jardins, maintenant qu'une nombreuse compagnie s'y promenait fréquemment. Son endroit favori était un bosquet de noisetiers, non loin du grand étang qui se trouvait presque à l'extrémité du parc. Elle voyait de là étinceler l'eau vive, sous les chauds rayons solaires. Rarement la solitude de ce lieu était troublée par quelque humain... Cependant, deux fois, se trouvant là à une heure matinale, la fillette avait pu voir M. de Tarlay et son ami Olaüs Svengred se dirigeant vers l'étang, le fusil sur l'épaule. Ils allaient chasser les poules d'eau, nombreuses en cet endroit. Mitsi entendait les coups de feu, qui lui causaient quelque émotion. Puis, un peu après, elle voyait de nouveau passer les deux jeunes gens, dans le sentier qui longeait le bosquet. Ils s'entretenaient gaiement sans se douter que deux grands yeux d'enfant les regardaient avec une ardente curiosité. Mitsi songeait :

« M. de Tarlay est bien plus beau; mais l'autre a l'air plus doux et très bon. »

Elle était ainsi dans sa retraite préférée, quand un matin, un bruit de pas et de voix l'avertit que des promeneurs passaient là... D'un coup d'œil, elle reconnut Christian et Florine. La jeune fille, vêtue d'une robe de toile blanche garnie d'élégantes broderies, s'appuyait au bras de son compagnon. Les yeux levés sur lui, elle disait d'une voix frémissante :

— Christian, je ne sais jamais si vous parlez sérieusement !

Il riposta avec un accent d'ironie mordante :

— C'est affaire à vous de le deviner, belle Florine.

— Chose impossible avec un homme comme vous ! L'onde n'est pas plus changeante que votre humeur.

Les yeux du jeune homme étincelèrent de raillerie amusée :

— Que voulez-vous, il faut me prendre tel que je suis !

— Vous savez bien qu'on le fait — et avec quel bonheur, quand même !

Un rire légèrement sardonique s'échappa des lèvres de Christian :

— Très obligé, ma chère Florine ! Mais savez-vous que c'est le monde renversé ? Vous me faites des déclarations... et c'est un peu gênant pour moi, convenez-en !

En fait, il n'avait pas l'air gêné le moins du monde. Ses dents brillaient entre la pourpre des lèvres soulevées par le plus moqueur des sourires, et les yeux superbes raillaient sans pitié... C'était Florine qui rougissait, depuis le front jusqu'à son cou blanc entouré de dentelles, et qui baissait les yeux, tandis qu'un frémissement agitait ses épaules.

Ils passèrent, allant vers l'étang. Mitsi reprit son travail, un instant interrompu. Elle n'avait guère apporté d'attention aux paroles échangées, dont le sens échappait à son inexpérience. La belle Florine lui déplaisait, d'ailleurs. Quant au vicomte, elle éprouvait à son égard une sorte de crainte respectueuse, mêlée d'une vague admiration. Ces sentiments n'avaient pu que se fortifier, du fait qu'elle entendait à l'office parler du jeune maître comme d'un important personnage, dont la majestueuse présidente elle-même subissait l'empire.

Au bout d'une demi-heure, son travail terminé, Mitsi se leva. Maintenant, elle pouvait se permettre un peu de récréation. La veille, elle avait vu sur le bord de l'étang de curieuses fleurs mauves, non encore bien épanouies, qu'elle s'était promis de cueillir aujourd'hui... Ce fut de ce côté qu'elle se dirigea, tout en jetant autour d'elle des regards investigateurs. Mais les promeneurs avaient bien disparu. Ils avaient sans doute pris un autre sentier, pour le retour.

Mitsi gagna l'endroit qu'elle avait remarqué la veille. Les fleurs étaient toujours là, bien ouvertes cette fois, montrant leurs pistils couleur d'or... Mais la difficulté consistait à les atteindre, car elles se trouvaient dans l'eau, parmi les roseaux.

Mitsi s'avança tout au bord, se pencha, étendit la main... Elle tenait une des tiges fleuries... Mais la terre friable se déroba sous elle, et elle fut entraînée dans l'eau claire.

D'un mouvement instinctif, elle se retint aux grands roseaux, tout en jetant un cri de terreur... Du sous-bois le plus voisin quelqu'un s'élança, courut

30

jusqu'à la berge. C'était M. de Tarlay. Avec une grande présence d'esprit, il se jeta à plat ventre sur le bord, étendit les bras et souleva l'enfant qui se cramponnait aux roseaux. En se reculant lui-même, il la ramena vers le bord. Florine, qui accourait, l'enleva et la posa sur la berge.

D'un bond souple, Christian se mit debout :

— Eh bien, tu fais du joli, petite imprudente !... Allons, cours vite au château, pour qu'on te change, car tu es dans un bel état !

— Et, avec cela, tu mériterais une bonne correction ! ajouta Florine avec colère.

Christian lui jeta un regard moqueur :

— Quelle femme sévère vous êtes !... J'avoue que le crime de cette enfant ne me paraît pas si grand.

— Vous êtes trop indulgent !... Voyez de quoi elle est cause ? Vous vous êtes blessé...

Christian se mit à rire en regardant l'une de ses fines mains blanches égratignée par les roseaux piquants.

— Quelle blessure, en effet !... Non, non, je pardonne volontiers à cette petite Mitsi, pourvu qu'elle ne recommence pas, naturellement. Allons, va, enfant, et cours, pour ne pas prendre froid.

Mitsi balbutia :

— Je vous remercie beaucoup, monsieur.

Et elle s'enfuit, courant comme une jeune biche, sans se douter que l'inimitié instinctive de Mlle Dubalde à son égard venait de s'augmenter encore, car bien involontairement la petite fille avait interrompu le tête-à-tête sur lequel Florine fondait beaucoup d'espoir.

Léonie, que Mitsi rencontra précisément comme elle arrivait au château, ne se montra pas aussi indulgente que son maître. Quand l'enfant lui eut narré en quelques mots ce qui venait de lui arriver, elle appliqua un soufflet sur la petite joue, en disant :

— Voilà d'abord pour t'apprendre à faire des sottises... Et maintenant file dans ta chambre. Tu y resteras jusqu'à demain, au pain et à l'eau.

Le lendemain, sa punition étant levée, Mitsi s'en alla vers le parc, avec une provision de serviettes à ourler. Son jeûne de la veille la laissant un peu faible, elle ne gagna pas sa retraite habituelle et s'arrêta au bord d'une clairière qui lui semblait suffisamment isolée des principales voies du parc. Elle travailla là jusqu'à 6 heures, puis, sans se presser, reprit le chemin du château.

Comme l'enfant s'engageait dans une allée où jamais encore elle n'avait rencontré que des jardiniers, elle vit, marchant d'un pas flâneur, M. de Tarlay qui donnait le bras à une jeune femme petite et brune — la comtesse Wanzel, comme Mitsi l'avait entendu désigner un jour par une femme de chambre.

La petite fille pensa un instant à rebrousser chemin. Puis elle songea :

« Il n'est pas méchant, lui... Il ne me dira rien. »

Elle se rangea modestement au bord de l'allée, en saluant avec une grâce timide.

— Tu n'es pas retournée chercher des fleurs dans l'étang, Mitsi ?

Christian l'interpellait ainsi, avec une gaieté moqueuse.

Elle balbutia, en rougissant :

— Non, monsieur le vicomte.

La jeune femme s'arrêta, en la regardant avec intérêt :

— Qui est cette petite fille ?

— Une enfant sans famille, que ma grand-mère fait élever.

— Mais ce nom ?

— La mère était hongroise, paraît-il.

La comtesse étendit la main et caressa les brillantes boucles noires :

32

— Quels beaux cheveux !... Et ces yeux !... Elle sera charmante, savez-vous, cette petite créature ?... Quel âge as-tu, Mitsi ?

— Treize ans, madame.

Comme naguère Florine, la jeune femme répéta d'un ton stupéfait :

— Treize ans !... Non, ce n'est pas possible ! Tu as l'air d'une toute petite fille... A quoi t'occupes-tu, mon enfant ?

Mitsi montra le linge qu'elle portait sur le bras :

— J'aide les lingères, madame.

— C'est très bien, cela... Je suis sûre que tu es une enfant très sage !

Mitsi répondit modestement :

— J'essaye de l'être, madame.

La comtesse se mit à rire. Elle montrait ainsi de fort jolies petites dents, la seule beauté de ce visage aux traits irréguliers, au teint sans fraîcheur.

— Tu es une gentille enfant, Mitsi. Bonsoir, mignonne.

Elle posa un doigt caressant sur la joue brune de la fillette, et fit un mouvement pour se remettre en marche... Mais Mitsi dit timidement, en levant les yeux vers M. de Tarlay qui la considérait avec une sorte d'intérêt nonchalant :

— Je vous demande bien pardon, monsieur, d'avoir été cause que vous vous êtes blessé hier.

— Blessé ?... Où donc ?

La comtesse regardait Christian avec une tendre inquiétude.

Le jeune homme sourit, en levant sa main gauche, qu'il mit sous les yeux de sa compagne :

— Voyez cette chose terrible !... Il n'y a pas de quoi te donner des remords, Mitsi. Mais la leçon aura été bonne, si elle t'empêche de recommencer pareille imprudence.

Il reprit sa marche, avec la jeune veuve qui s'appuyait amoureusement à son bras. Mitsi continua son chemin vers le château. Elle se disait que cette dame était beaucoup plus aimable que Mlle Dubalde. Et pourtant les domestiques racontaient qu'elle était presque une princesse, et très, très riche, avec cela. Tandis que Mlle Dubalde, assurait Adrienne, n'avait qu'une assez petite dot, surtout pour une personne qui aimait tant le luxe.

L'enfant conclut : « C'est M. Debrennes et la comtesse Wanzel qui me plaisent le plus ici... M. le vicomte aussi. Mais il a l'air trop moqueur... et puis, on n'est pas à l'aise devant lui. Ses domestiques disent qu'il faut se garder de le mécontenter... Pourtant, j'aime ses yeux... oui, même quand il se moque. »

4

Un matin de la semaine suivante, Parceuil se fit annoncer chez la présidente. Celle-ci venait précisément de finir sa toilette et passait dans le salon qui faisait partie de son appartement. Elle tendit la main à l'arrivant en demandant :

— M'apportez-vous une réponse au sujet de cette petite Mitsi, cher ami ?

— Oui, je crois que nous avons trouvé ce qu'il faut.

— Ah ! tant mieux ! Il m'était désagréable de la savoir ici... Voyons, de quoi est-il question ?

— Les Sœurs de la Sagesse ont, dans un bourg d'Eure-et-Loir, un pensionnat fréquenté par des enfants de familles modestes. Le prix est minime, l'instruction assez bonne. Ce sera très suffisant pour cette enfant que nous destinons à un sort subalterne.

— En effet. Donnez-moi l'adresse, je vais entrer immédiatement en pourparlers avec la supérieure.

— Voici...

Il lui tendait une lettre, que Mme Debrennes enferma dans un tiroir de son petit bureau Louis XV. Puis il s'informa :

— Elle est toujours tranquille, cette petite ?

— Toujours. Elle travaille bien, m'a dit Léonie. Les domestiques lui reprochent seulement sa sauvagerie...

Elle se tut un instant, lissa d'une main un peu nerveuse les coques de cheveux noirs qui dépassaient sa coiffure de dentelle, et reprit :

— Puisque vous voilà, mon cher Flavien, il faut que je vous communique une observation que j'ai faite, et qui m'inquiète... Je trouve que depuis quelques jours, Christian s'occupe beaucoup plus de la comtesse Wanzel.

— Je l'avais remarqué aussi.

— Ah ! vraiment !... Ce n'est donc pas une imagination de ma part !... Pourtant, elle est presque laide, elle n'a pas d'esprit... Ses seuls avantages sont la naissance et la fortune. Est-ce là ce que Christian rechercherait en elle ?

— Qui sait !

— Mais il le trouverait chez d'autres femmes, qui auraient en outre plus d'agréments physiques que celle-là ! Non, en y réfléchissant, Flavien, je ne puis croire qu'il songe à épouser la comtesse Wanzel !

— Eh ! eh !... Elle est alliée à la famille impériale et aux premières maisons d'Autriche... Une telle union flatterait l'orgueil de Christian. Je le crois fort ambitieux, votre petit-fils, ma chère amie.

— Ambitieux ?... Je ne sais... Oui, peut-être... En tout cas, il le prouverait, s'il épousait la comtesse... Évidemment, ce serait un beau mariage, à certains points de vue... un très beau mariage, qu'il me serait difficile de désapprouver. Mais, d'autre part, j'avais espéré avoir Florine comme petite-fille...

Parceuil eut un sourire narquois :

— Parce que vous vous dites qu'avec elle, vous continueriez de diriger la maison, tandis qu'une étrangère vous déposséderait de votre sceptre?... Eh ! je comprends ce point de vue... Mais si Christian n'est pas dans ces idées-là, vous le savez comme moi, il n'y a rien à faire pour l'y amener. Il faudra donc vous résigner au cas où il se déciderait de faire vicomtesse de Tarlay cette brune comtesse Wanzel — ce qui, au reste, n'est pas du tout prouvé encore. Il est fort jeune et je m'étonnerais qu'il se mariât avant deux ou trois ans. Mais la comtesse en est visiblement fort éprise, et il s'amuse à lui faire la cour par distraction ou dilettantisme.

— Peut-être avez-vous raison... Je le souhaiterais pour Florine, qui est si amoureuse de lui, et qui souffrirait tant de devoir renoncer à tout espoir... D'autre part, il est certain qu'un mariage avec la comtesse Wanzel apparaît bien tentant, au point de vue amour-propre...

Elle hocha la tête, en souriant avec une orgueilleuse satisfaction :

— Christian peut choisir qui il voudra. Comme il n'est pas sentimental, il serait possible, en effet, qu'il consultât seulement son ambition. Je ne l'en blâmerais certes pas... Mais je regretterais en ce cas qu'il ait tant joué depuis quelque temps avec le cœur de Florine.

— Amusement de prince. Ma chère, votre filleule a vingt-trois ans, et c'est une fille sensée, qui devrait connaître Christian, qu'elle voit depuis son enfance. A mon avis, jamais il n'a eu l'idée d'en faire sa femme. Il s'amuse, je le répète; il se plaît à se laisser adorer...

La présidente rapprocha ses sourcils noirs :

— En ce cas, il la compromettait gravement... Il faudra que je recommande à Florine la circonspection. Mais allez donc faire entendre raison à une femme dont le cœur ne s'appartient plus ! Voilà deux nuits qu'elle ne dort pas, et je m'explique pourquoi.

Parceuil dit ironiquement :

— Eh bien, elle n'aurait pas eu fini d'être jalouse, si elle était devenue Mme de Tarlay !... Mais je vous quitte maintenant, Eugénie... Ah ! dites donc...

Il baissait légèrement la voix, et se penchait vers Mme Debrennes :

— Louis ne vous a plus reparlé de Mitsi, de ses parents ?

— Non, plus du tout.

— C'est curieux, ce doute qui subsiste chez lui...

— Oui, très curieux... et un peu désagréable.

Leurs regards se rencontraient, chargés de sombres pensées.

Parceuil murmura :

— Il ne peut rien savoir. Toutes les précautions sont prises.

— Oui... Mais il ne faudrait pas qu'il parlât de ce doute à quelqu'un... à Christian, par exemple.

Parceuil eut un rire sardonique :

— Christian ?... Pensez-vous qu'avec sa nature insouciante, son égoïsme d'homme adulé, il ait jamais l'idée de rechercher quelque chose dans cette affaire-là ? Dormez tranquille, Eugénie. L'enfant est bien la fille d'Ilka Vrodno, la danseuse, et de père inconnu. Personne ne viendra vous affirmer le contraire.

Celle dont il était question venait à ce moment de prendre une grande résolution. Plus d'une fois, Mitsi avait entendu les domestiques déclarer, en parlant de quelque projet de la présidente, par exemple : « Il faudra savoir si M. le vicomte sera de cet avis-là.

C'est lui le maître, et, tout jeune qu'il soit, il sait bien le montrer »... De ce fait, une idée avait germé dans le cerveau de l'enfant. Puisque M. de Tarlay faisait tout ce qu'il voulait, et que sa grand-mère elle-même lui obéissait, il n'avait qu'un mot à dire pour que Mitsi ne fût pas si malheureuse, et qu'on l'enlevât à la tyrannie de Léonie. Depuis quelques jours en effet, la femme de charge avait imaginé de lui interdire toute sortie et de lui donner une tâche matériellement impossible à accomplir pour une enfant. De plus, cette créature fourbe et rouée, qui était au service de la présidente depuis des années et savait la mener à son gré par la flatterie, s'était avisée — après assurance que sa maîtresse verrait la chose favorablement — de raconter à la domesticité que Mitsi était la fille d'une coquine et qu'elle serait une traîneuse des rues, si Mme la présidente n'avait eu la charité de s'en occuper, pour tâcher de la sauver du vice.

La pauvre petite, dès lors, s'était vu traiter avec plus de mépris encore. Adrienne, un jour, devant elle, avait affecté de regarder si son porte-monnaie était dans sa poche en disant tout haut :

— On ne sait jamais, avec cette fille de bohémienne ou de je ne sais quoi... C'est voleur comme tout, cette engeance !

Ce fut le lendemain de ce jour que la pauvre petite créature résolut d'aller trouver M. de Tarlay.

En dépit des ordres de Léonie, la petite fille se glissa vers 11 heures hors de sa chambre, et gagna les jardins. Un valet de chambre avait dit un jour devant elle que M. de Tarlay se trouvait presque toujours, vers cette heure-là, dans le pavillon italien. Mitsi connaissait bien ce pavillon fait du marbre blanc le plus pur, et qu'entouraient des portiques couverts, pendant l'été, d'une profusion de roses. Plus d'une fois, cachée derrière un bosquet voisin, elle l'avait contemplé avec admiration, mais jamais elle n'aurait osé s'en approcher... Aussi tremblait-elle un peu en avançant vers le degré de marbre supportant deux colonnes qui précédait la porte faite de bronze admirablement travaillé.

Mitsi souleva le petit heurtoir, qui figurait une chimère, et le laissa retomber... De l'intérieur une voix dit :

— Entrez.

Mitsi poussa la porte... Juste en face d'elle, sur un divan couvert de précieuse soierie, Christian était étendu, un coude appuyé aux coussins, une cigarette entre les lèvres. D'une main distraite, il tourmentait les oreilles d'un jeune dogue qui se pressait contre lui. Son regard, où s'allumait une lueur d'impatience, se dirigea vers la porte, au seuil de laquelle s'arrêtait timidement Mitsi. A la vue de la petite fille, une exclamation de surprise irritée vint à ses lèvres :

— Toi?... Que viens-tu faire ici ?

Il regardait l'enfant avec une dureté hautaine... Hélas ! pauvre Mitsi, elle était tombée sur un des mauvais jours du fantasque et trop idolâtré seigneur de Rivalles !

En même temps, le chien se mit à gronder en tournant vers elle des yeux peu rassurants.

L'enfant, devenue très rouge, se recula instinctivement, en balbutiant :

— Pardon, monsieur... Je venais vous demander... de vouloir bien m'écouter...

— Tu n'as rien à demander. Je n'ai pas à m'occuper de toi. Va-t'en promptement et ne t'avise jamais de revenir me déranger, petite effrontée, car je n'aurais qu'un geste à faire pour qu'Attila te fasse sentir la douceur de ses crocs.

Comme s'il eût compris, le dogue gronda plus fort... Mitsi tourna les talons et s'éloigna précipitamment. Ses jambes tremblaient sous elle. Dans son émotion, elle alla se jeter contre Olaüs Svengred, au détour d'une allée.

Le jeune Suédois dit sans colère :

— Eh ! attention donc, petite !

Elle murmura :

— Pardon, monsieur.

Il la regarda et mit la main sur son épaule :

— Qu'avez-vous, mon enfant ? Que vous est-il arrivé ?... Vous semblez toute bouleversée !

Il considérait avec sympathie le mince visage empourpré, frémissant, les yeux pleins de larmes qui glissaient le long des joues brunes.

Mitsi balbutia :

— Je voulais demander quelque chose à M. le vicomte... Mais il m'a chassée...

— Ah ! ah !... C'est que vous êtes tombée sur un mauvais moment, ma pauvre petite. Mais M. de Tarlay en a de meilleurs, et vous pourrez, une autre fois...

Elle se redressa, les yeux brillants de colère et de rancune.

— Oh ! jamais ! jamais je n'essayerai de lui demander quelque chose ! Il est trop mauvais, lui aussi... comme les autres !

Puis aussitôt, elle murmura en regardant le Suédois d'un air inquiet :

— Oh ! monsieur, vous ne répéterez pas ce que je viens de dire là ?

Olaüs sourit avec bonté :

— Non, mon enfant, soyez sans crainte... Mais calmez-vous... Et si par hasard, ce que vous alliez demander à M. de Tarlay, je pouvais le réaliser, ne vous gênez pas pour me le dire.

Mitsi secoua la tête :

— Non, vous ne le pouvez pas. Il n'y a que lui, ici, parce qu'il est le maître. Mais merci... merci, monsieur ! Que vous êtes bon, vous !

Elle levait sur lui un regard de profonde reconnaissance... Puis, en un geste spontané, elle saisit sa main et y appuya ses lèvres. Après quoi elle s'éloigna en courant pour regagner sa triste chambre.

Olaüs Svengred la suivit des yeux en murmurant :

— Pauvre enfant !... Quelle physionomie intéressante !... Comment Christian peut-il se montrer dur pour cette charmante petite créature ?

La rapide sortie de Mitsi avait passé inaperçue aux yeux de Léonie. Mais la femme de charge en fut néanmoins informée. Le lendemain matin, Mitsi la vit entrer dans sa chambre, avec une expression furibonde sur son visage rebondi :

— Ah ! tu en fais du joli, effrontée !... Il paraît que tu as eu l'audace d'aller trouver M. le vicomte dans son pavillon ? Pour quoi faire, mauvaise graine ? Me le diras-tu ?

Elle avait saisi l'enfant par le bras et la secouait avec colère :

— ... Oui, me diras-tu ce que tu allais lui demander ?

Mitsi riposta fièrement :

— Non, parce que cela ne vous regarde pas.

— Ah ! ça ne me regarde pas !... Je te prouverai bien le contraire, insolente ! Tiens, voilà !... et encore... et encore, pour payer les reproches de Mme la présidente, qui m'a accusée de ne pas te surveiller.

Les coups tombaient sur le visage, sur les épaules de Mitsi. Mais l'enfant, stoïquement, se taisait... Léonie s'arrêta et la jeta brutalement sur son lit.

— Ah ! si tu restais ici, j'aurais vite fait de te mater, méchante fille de rien !... Mais, heureusement, nous allons être débarrassés de toi, Madame me l'a dit tout à l'heure.

Elle sortit en continuant de maugréer.

Mitsi, tout à coup, ne sentait plus sa souffrance. Quoi ! elle allait enfin quitter cette demeure, ces gens si méchants pour elle, l'humble orpheline affamée d'un peu d'affection?... Où irait-elle?... Peu importait, car il lui semblait que nulle part ailleurs, elle ne serait aussi malheureuse qu'ici, dans ce palais superbe dont les habitants, presque tous, semblaient la détester — y compris M. de Tarlay, qui venait d'être si mauvais à son égard.

Oui, si mauvais, puisqu'il avait même raconté à la présidente ce qui s'était passé, en demandant probablement que la coupable fût punie — ce dont s'était chargée avec joie Léonie.

5

Deux jours plus tard, le bruit se répandit dans le château que l'état de M. Debrennes s'était subitement aggravé.

Son médecin habituel et un autre praticien en renom, appelés de Paris par télégramme, arrivèrent dans l'après-midi. Après examen, ils ne cachèrent pas à Christian et à Parceuil que la fin était proche. Usé par une lente maladie, M. Debrennes atteignait aux dernières limites de son existence.

Christian laissa voir une sincère émotion. Il avait pour ce père malade, faible de corps et d'âme, une affection protectrice, un peu autoritaire, ainsi que l'y portait sa nature. Telle que, elle était une des rares joies de Louis Debrennes, frappé très jeune dans sa santé, atteint profondément au cœur par la mort prématurée d'une épouse très aimée, n'ayant en outre aucun appui moral à attendre de la femme ambitieuse et sans cœur qui était sa mère.

La présidente n'avait vu en lui qu'un bon garçon

insignifiant, jusqu'au jour où elle s'était aperçue que Lucie Douvres, la fille du richissime maître de forges, considérait avec des yeux fort tendres ce grand jeune homme blond et fin, un peu timide, qui osait à peine lever sur elle des regards pleins d'adoration. Aussitôt, l'habile femme avait vu le parti à tirer d'une telle situation. Il s'agissait de manœuvrer Jacques Louvres, qui devait tenir pour son héritière à un parti beaucoup plus brillant que Louis Debrennes, jeune magistrat d'avenir, mais sans grande fortune. La présidente s'en chargea, et avec tant d'adresse que, quelques semaines plus tard, on annonçait les fiançailles de Louis avec la fille de l'opulent industriel. Elle voyait se réaliser ainsi toutes ses ambitions, de façon inespérée, car Lucie Douvres était à cette époque l'un des plus magnifiques partis de l'Europe. Quant à Louis, il se trouvait heureux près de cette femme charmante qu'il aimait, dont il était aimé... Son bonheur dura trois ans. Puis une fièvre typhoïde enleva Lucie. Lui-même fut atteint de cette maladie et, son inconsolable chagrin aidant, il ne s'en remit jamais.

Jacques Douvres, quoique profondément atteint par la mort de cette fille chérie, continua de diriger sa puissante industrie. Dans les dernières années de sa vie, il avait pris comme aide Flavien Parceuil, que la présidente Debrennes lui recommandait. Cet homme intelligent, habile et fourbe, sut se rendre indispensable au vieillard dont l'âge et le goût de la flatterie altéraient le jugement autrefois si sûr. A ses derniers moments, Jacques Douvres dit à son gendre :

— Puisque votre santé vous empêche de vous occuper activement des affaires, mon cher Louis, mettez toute votre confiance en Parceuil. Il la mérite.

Ainsi avait fait Louis Debrennes... Et Flavien avait

pu diriger à son gré l'industrie puissamment mise sur pied par Jacques Douvres et par son frère cadet mort jeune encore. Il s'y entendait au reste fort bien — beaucoup mieux que n'aurait pu le faire M. Debrennes, comme celui-ci le reconnaissait franchement. — Mais, à part quelques favoris, il était détesté de tous ceux qui se trouvaient sous ses ordres, depuis les ingénieurs jusqu'au dernier des manœuvres, alors que les apparitions aux forges du « bon M. Louis » étaient accueillies par les plus sympathiques manifestations.

Mais on ne le verrait plus maintenant, l'excellent homme qui avait pour tous un regard bienveillant. Il s'en allait peu à peu de ce monde et déjà semblait l'avoir quitté, car après la visite des médecins, après celle du prêtre qu'il avait demandé, il restait immobile, les yeux clos, les lèvres serrées. Pas un tressaillement ne passait sur son pâle visage... Christian, assis au pied du lit, le contemplait douloureusement. Près de lui se tenait la présidente. Depuis l'instant où l'on était venu lui annoncer que l'état de son fils s'était aggravé, elle ne l'avait pas quitté, si ce n'est pour laisser quelques instants la place à Parceuil.

Sa physionomie restait calme, sans altération. De temps à autre, elle portait à ses yeux un fin mouchoir brodé, pour étancher une petite — si petite larme... Mais n'était-il pas connu que la présidente Debrennes était une femme énergique, sachant dominer courageusement toutes les souffrances de la vie ?

Parfois, le valet de chambre de M. Debrennes entrait à pas feutrés. Très bas, il s'informait de l'état du malade, pour donner de ses nouvelles aux hôtes de Rivalles, et particulièrement à la comtesse Wanzel, qui semblait très affectée.

Puis, entre les plis de la portière, apparut la tête

blonde de Florine. Avec une mimique expressive, la jeune fille interrogea sa marraine... La présidente répondit par un geste désespéré. Florine coula un doux regard vers Christian; mais, voyant qu'il ne semblait pas s'apercevoir de sa présence, elle disparut aussitôt.

Presque à ce moment, M. Debrennes fit un mouvement, puis entrouvrit ses paupières.

Christian se pencha vers lui et serra doucement la main glacée.

M. Debrennes murmura :

— Je voudrais... te dire...

— Quoi donc, cher père ?... Ne vous fatiguez pas, surtout !

— Non... Mais... il faudrait... qu'on cherche encore... pour l'enfant... J'aurais dû...

Une suffocation l'interrompit.

La présidente, les traits un peu crispés, dit avec un accent doucereux :

— Mon cher Louis, tais-toi, je te prie ! Les médecins ont recommandé le repos.

— Oui... le repos... bientôt... tout à fait... Mais l'enfant... on ne sait pas... la mère disait peut-être la vérité...

Christian jeta à sa grand-mère un regard interrogateur.

Elle eut un geste douloureux, en murmurant :

— Il divague, mon pauvre enfant !

La faible voix reprit :

— Il faut chercher... Christian... Pas d'injustice... Tu lui donneras sa fortune...

La présidente étendit sa main et la posa doucement sur la tête de son fils.

— Allons, mon pauvre Louis, sois raisonnable... Reste calme et tout à l'heure tu te trouveras mieux, délivré de toutes les idées qui te tourmentent.

— Non, je... je veux dire à Christian...

Mais il fut interrompu par un spasme violent. La présidente appela la garde-malade, qui se tenait dans la pièce voisine... Quand la crise fut passée, le moribond ne parla plus. Pendant quelque temps, il garda les yeux ouverts, attachés sur Christian avec une expression inquiète et suppliante. Puis ses paupières se fermèrent... Et un peu plus tard, dans un dernier spasme, il rendit son âme à Dieu.

La nouvelle de cette mort impressionna Mitsi. Elle n'oubliait pas que M. Debrennes lui avait témoigné de la bienveillance et avait empêché qu'elle servît de jouet à la belle Florine. Puis il avait l'air si bon, le pauvre homme... tandis que les autres !

Deux jours après les funérailles, qui furent naturellement des plus magnifiques, Léonie informa l'enfant que le lendemain elle partirait pour le pensionnat Sainte-Clotilde, à Vorgères, dans l'Eure-et-Loir.

— Marthe te conduira jusqu'à Paris et te mettra dans le train de Chartres, ajouta-t-elle. Là-bas, il y aura une religieuse qui t'attendra... Quant à ton trousseau, les sœurs te le fourniront; Mme la présidente leur envoie une somme pour ça.

Mitsi faillit sauter de joie. Enfin, enfin, elle allait quitter cette demeure !... Et pour comble de chance, on la faisait accompagner par la seule personne de la domesticité qui lui eût témoigné de la sympathie.

Ce n'était pas certes dans l'intention de lui être agréable que Léonie avait choisi la jeune lingère. Mais Marthe ayant demandé l'autorisation d'aller voir sa grand-mère qui se mourait dans un hôpital parisien, la femme de charge avait saisi cette occasion pour se débarrasser promptement de l'enfant qu'elle ne pouvait souffrir.

Avant son départ, Mitsi ne revît ni la présidente, ni Parceuil, ni M. de Tarlay. Petite créature dédaignée, elle quitta le Château Rose par un matin humide et triste, en compagnie de la bonne Marthe qui portait son petit bagage d'orpheline pauvre. Arrivée au bout de l'avenue, elle se détourna et, jetant un regard de rancune vers la seigneuriale demeure, elle murmura :

— Je ne te regrette pas, va !... et j'espère bien ne pas te revoir !

DEUXIÈME PARTIE

1

Les sons de l'harmonium se répandaient dans l'étroite chapelle où se trouvaient réunies les élèves du pensionnat Sainte-Clotilde. Une voix pure, veloutée, s'élevait, chantant les louanges de Dieu. Elle appartenait à l'une des grandes élèves, celle que l'on appelait Mitsi Vrodno — la petite Mitsi, ainsi que continuaient de la nommer les religieuses. Cependant sa taille n'était guère au-dessus de la moyenne. Mais il y avait infiniment de grâce délicate dans sa fine et souple personne, dans son charmant visage resté un peu menu, que les yeux bruns aux reflets d'or éclairaient d'une si chaude, d'une si ardente lumière. Puis encore, l'âme de Mitsi était pure comme celle d'un petit enfant. La sœur Hélène, qui s'était occupée d'elle plus que toutes les autres, la chérissait particulièrement. Elle l'avait entourée de soins, moralement, comme une plante précieuse. Femme intelligente et cultivée, elle avait poussé l'instruction de sa protégée beaucoup plus qu'il n'était d'usage dans ce pensionnat, où étaient élevées des enfants de condition modeste, presque toutes filles de cultivateurs. En Mitsi, elle trouvait un riche terrain qui ne demandait qu'à fructifier. Quand, l'année précédente, elle avait quitté cette maison pour une autre de son ordre où l'envoyaient ses supérieures, elle laissait la jeune fille munie d'un excellent bagage intellectuel, d'une forte culture morale et d'une grande habileté dans les travaux de lingerie, qui étaient une des spécialités du pensionnat.

Ce départ avait été un vif chagrin pour Mitsi. Les autres religieuses se montraient bonnes à son égard, mais aucune ne savait, comme sœur Hélène, la comprendre dans toutes les délicatesses de sa pensée, dans toute la secrète ardeur de son jeune cœur, ni l'encourager, la fortifier, quand elle se sentait pénétrée par l'angoisse de l'avenir.

Que serait-il, cet avenir?... Que décideraient pour elle ceux qui se faisaient appeler ses protecteurs, et dans lesquels, instinctivement, son âme d'enfant avait autrefois deviné des ennemis?

Chaque année, au jour de l'an, les religieuses lui faisaient écrire à la présidente une lettre, où il était question de reconnaissance, de vœux et de prières. A cette lettre, il n'était jamais répondu. Mais Mme Debrennes, en accusant réception des notes de travail et de conduite que lui envoyait chaque semaine la supérieure, insistait sur la nécessité d'élever « cette pauvre enfant d'origine équivoque » dans l'habitude des humbles travaux et dans la plus entière simplicité.

« Mitsi est destinée au sort le plus modeste, précisait-elle. Il faut qu'elle soit bien pénétrée de cette idée-là, et je compte sur vous, ma chère sœur, pour le lui répéter souvent. »

Sœur Hélène, quand la supérieure lui lisait des passages de ce genre, hochait la tête en disant :

— Mitsi est distinguée, affinée au moral comme au physique. Elle sera délicieusement jolie, séduisante entre toutes... Pauvre petite, quel danger pour elle, dans l'isolement moral qui sera le sien !

Marthe, la jeune lingère, écrivait une ou deux fois par an à Mitsi, qu'elle n'oubliait pas. Elle lui avait appris successivement le mariage de M. de Tarlay avec la comtesse Wanzel, la naissance d'un héritier qui avait coûté la vie à la jeune femme, les continuelles absences du vicomte, qui voyageait beaucoup et, entre-temps, menait à Paris la grande vie mondaine, en laissant comme auparavant la direction des forges à Parceuil, « de plus en plus mauvais et injuste », ajoutait Marthe. Quant à la présidente, un moment évincée par le mariage de son petit-fils, elle avait repris bientôt après son veuvage le gouvernail de l'intérieur. Sa filleule Florine continuait d'être fort souvent près d'elle, sans souci de laisser seul un père âgé, dont elle était l'unique enfant. Sans doute, chuchotait-on, n'avait-elle pas abandonné l'espoir de conquérir enfin M. de Tarlay... Toujours est-il qu'elle avait refusé plusieurs très bons partis, et qu'à vingt-huit ans, elle se trouvait encore à marier.

Tous ces détails laissaient Mitsi indifférente. Elle avait emporté tant de mauvais souvenirs de Rivalles et de ses habitants !... Et puisque, de toute vraisemblance, elle n'était pas destinée à les revoir, mieux valait qu'elle s'efforçât de les oublier.

En ce dimanche de printemps, elle chantait de toute son âme dans la petite chapelle où le vieil aumônier achevait de dire sa messe. Très musicienne d'instinct, elle avait sur ce point encore admirablement profité des leçons données par sœur Hélène et l'un de ses plus grands plaisirs était de passer de longs moments à l'harmonium sur lequel, souvent, elle improvisait des airs pour les cantiques chantés par les religieuses et les élèves.

La messe finie, elle s'attarda un quart d'heure encore dans la chapelle, s'absorbant en une fervente prière. Puis elle sortit et s'engagea dans le petit cloître conduisant au bâtiment principal.

La supérieure se tenait là, ayant plusieurs lettres à la main. Sans doute le facteur venait-il de lui remettre son courrier. Elle finissait de lire une carte d'épais vélin, timbrée d'or, et apercevant Mitsi, l'appela :

— Venez, mon enfant, j'ai une communication à vous faire... Votre protectrice, Mme la présidente Debrennes, estimant que votre éducation est achevée maintenant, vous rappelle dans sa maison. Elle vous confiera l'emploi de lingère auquel vous êtes très apte.

Mitsi avait pâli, et tressaillait longuement. Le cœur serré par l'angoisse, elle regardait la religieuse avec une sorte d'effroi... Puis elle dit d'un ton frémissant :

— J'espérais que Mme Debrennes me laisserait la liberté de travailler à mon gré... qu'elle ne m'obligerait pas à prendre rang parmi sa domesticité.

La supérieure regarda Mitsi d'un air désapprobateur :

— De quel ton vous dites cela, mon enfant !... Je crains qu'il n'y ait en vous un peu trop d'orgueil. N'oubliez pas que vous devez tout à Mme la présidente, que sans elle vous étiez probablement élevée dans quelque hospice, où l'existence n'aurait pas été pour vous si douce que parmi nous. Elle vous donne un emploi dans sa domesticité, soit !... Mais sur quoi comptiez-vous donc ? Et que vous croyez-vous, ma petite Mitsi, pour penser qu'elle vous offrirait autre chose ?... Allez, cela vaudra mieux pour vous que de travailler comme ouvrière ou employée, avec tous les dangers qui guettent une jeune fille obligée de vivre seule chez elle. Vous serez là dans une maison honorable, sous la surveillance de la femme très estimable qui a bien voulu vous accorder sa protection. Si vous vous conduisez bien, elle assurera très probablement votre avenir. Que pouvez-vous demander de mieux, dans votre situation ?

Tandis que la religieuse parlait, le teint délicatement ambré de la jeune fille se couvrait de brûlante rougeur... Oui, Mitsi se rendait bien compte que sa prévention à l'égard de la présidente avait toutes les apparences de l'ingratitude. Elle comprenait qu'aux yeux de la supérieure qui ne voyait en elle qu'une enfant d'origine équivoque, recueillie, élevée par charité, sa répugnance devant des fonctions de domesticité parût un signe d'orgueil peu compréhensible dans sa position... Puis cette bonne sœur Mathilde, excellente femme, n'avait pas l'intelligence et surtout les intuitions délicates de sœur Hélène. Celle-ci aurait compris aussitôt la révolte secrète de cette nature fine, sensitive, qui se souvenait des impressions pénibles d'autrefois... de cette petite Mitsi qui, physiquement et moralement, semblait faite pour vivre dans les milieux les plus raffinés. Certes, elle ne l'aurait pas engagée à la résistance, mais elle aurait su l'encourager, lui montrer comment, en conservant toute sa fière dignité, elle pourrait accomplir la tâche qui l'attendait là-bas. En un mot, Mitsi aurait eu l'impression d'être de sa part l'objet d'une affectueuse compassion, tandis qu'elle voyait bien que sœur Mathilde la blâmait pour ce qu'elle considérait comme un amour-propre intempestif... Aussi garda-t-elle en son for intérieur ses réflexions amères, et renferma-t-elle dans son cœur palpitant ses angoisses et son chagrin. Dieu seul en connut la profondeur, et aussi, quelques jours plus tard, la sœur Hélène à qui Mitsi écrivit le lendemain pour lui apprendre le pénible changement survenu dans sa vie.

Huit jours plus tard, Mitsi descendait du train à la gare Montparnasse, en compagnie de la supérieure qui, ayant affaire à Paris, en avait profité pour emmener la jeune fille.

L'hôtel de Tarlay, où se trouvait encore la présidente à cette époque de l'année, était situé rue de Varenne. Les deux femmes se dirigèrent à pied de ce côté. Mitsi, triste et préoccupée, ne regardait rien autour d'elle. Comme un automate, elle avançait près de sœur Mathilde, sans s'apercevoir des coups d'œil pleins d'intérêt admirateur qui lui étaient jetés au passage... Car dans sa robe d'uniforme en lainage gris, de forme disgracieuse, avec son petit bonnet noir à tuyaux, qui laissait passer quelques boucles des cheveux sombres, elle était délicieusement jolie, la petite Mitsi, et semblait quelque mystérieuse princesse déguisée en une modeste élève du pensionnat Sainte-Clotilde.

Dans la rue de Varenne, elles s'arrêtèrent devant un imposant hôtel qui portait, sculptées au-dessus de sa porte, les armoiries des vicomtes de Tarlay. Le cœur de Mitsi se mit à battre à grands coups, tandis que la supérieure sonnait. Quel serait son sort, derrière ces murs hautains?... Hélas! peu enviable sans doute, car c'était toujours Léonie qui régentait le personnel. C'était à elle que la nouvelle lingère aurait affaire dès son arrivée, ainsi que l'avait spécifié Mme Debrennes dans sa lettre à la supérieure.

Un portier à mine importante ouvrit et répondit à sœur Mathilde qui demandait « Mme Léonie » :

— Elle vient précisément de sortir. Mais je ne crois

pas qu'elle soit très longtemps dehors. Voulez-vous l'attendre, ma Sœur?

— C'est que je n'ai pas le temps!... Je venais lui amener cette jeune fille, qui doit remplir les fonctions de lingère...

Le portier enveloppa Mitsi d'un regard bienveillant :

— Eh bien, je vais la conduire à la première lingère. Quand Mme Léonie rentrera, je la préviendrai de son arrivée.

— Oui, c'est cela... Allons, au revoir, ma bonne petite Mitsi. Soyez raisonnable, n'oubliez pas mes conseils et écrivez-moi quelquefois.

Elle embrassa la jeune fille, toute pâle, et qui se raidissait pour retenir ses larmes devant cet étranger. Puis elle s'éloigna et Mitsi se trouva seule avec le portier.

Sur son invitation, elle le suivit dans l'escalier de service et, au second étage, fut introduite dans une grande pièce garnies d'armoires et de tables sur lesquelles étaient étendus des objets de lingerie.

Une jeune personne blonde et pâle, qui travaillait près d'une des fenêtres, jeta une exclamation de joie à la vue de Mitsi. Elle se leva et vint à elle, les mains tendues :

— Ah! Mitsi, que je suis heureuse de vous voir!

Elles s'embrassèrent chaleureusement... Le portier fit observer, d'un ton surpris :

— Eh! vous vous connaissez donc?

— Oui, monsieur Laurier. Mitsi a passé quelque temps autrefois à Rivalles.

— Ah! bon!... Eh bien, elle ne s'embêtera pas, cette jeune personne, parce qu'elle en trouvera plus d'un pour lui faire la cour, jolie comme elle l'est!

D'un brusque mouvement. Mitsi se tourna vers lui, le front haut, le regard fier, son délicat visage tout empourpré.

— Personne ne me fera la cour, parce que je ne le permettrai jamais !

L'autre, un instant interloqué, se mit à rire narquoisement :

— C'est ce qu'on verra, ma belle !... Vous sortez du couvent, ça se comprend que vous fassiez l'effarouchée. Mais dans quelque temps, vous verrez les choses d'une autre façon !

Sur ces mots, il quitta la lingerie. Marthe, entourant de son bras les épaules frémissantes de Mitsi, attira contre elle la jeune fille :

— Allons, ne vous faites pas de tracas à l'avance, ma pauvre petite... Dire que vous n'aurez pas des ennuis ici, avec tous les imbéciles de valets... non, ce n'est pas possible. Mais en restant digne et froide, vous les tiendrez à distance... Voyons, asseyez-vous. Léonie est sortie, nous avons le temps de causer un moment.

Refoulant les larmes qui montaient à ses paupières, Mitsi s'assit près de l'excellente fille, qui gardait entre ses longs doigts maigres la délicate petite main un peu brûlante. Marthe considérait avec émotion cette créature charmante qui, dès l'abord, lui semblait si peu faite pour le milieu dans lequel, maintenant, elle allait se trouver. Discrètement, la lingère interrogea sa nouvelle compagne sur son existence au pensionnat, puis répondit à ses questions... Oui, Léonie était toujours aussi tyrannique, aussi injuste. Elle, Marthe, avait souvent à se plaindre de sa méchanceté. Mais elle se trouvait obligée de courber la tête, car ses frères étaient employés aux forges, et la femme de charge, très bien en cour près de la présidente, pouvait leur nuire beaucoup par l'intermédiaire de celle-ci... Il y avait aussi Adrienne, cette femme de chambre autrefois si mauvaise pour Mitsi et qui avait réussi, à force de souplesse et de flatteries, à devenir la camériste préférée de Mme Debrennes. Fort heureusement, de ce fait, elle se trouvait haussée au rang de la domesticité supérieure, de telle sorte que Mitsi n'aurait pas le déplaisir de la voir aux repas.

— Mlle Dubalde est toujours fourrée ici, comme je vous l'écrivais, ajouta la lingère. Elle part la semaine prochaine pour Rivalles en même temps que Mme la présidente... Car nous quittons Paris dans huit jours. M. le vicomte, qui voyage en ce moment, a décidé de s'installer là-bas dès son retour. Aussi allons-nous avoir beaucoup à faire, pour que tout soit prêt au jour fixé.

Mitsi demanda :

— Et l'enfant ?... Il était, m'avez-vous écrit, de santé délicate ?

— Il l'est toujours. C'est un petit être chétif, sans entrain... Au fond, voyez-vous, Mitsi, je crois que le pauvre petit manque d'affection. Sa grand-mère veille à ce qu'il soit toujours entouré de luxe, mais ne s'occupe guère de lui. Son père est d'une complète indifférence à son égard...

Mitsi murmura :

— Cela ne m'étonne pas.

Elle se souvenait de l'accueil fait autrefois à une petite fille malheureuse. Égoïste, fantasque, dépourvu de cœur, voilà ce qu'il était, le beau vicomte de Tarlay.

— Parlez-moi de votre famille ! demanda la jeune fille à Marthe. Votre mère ?... Vos frères ?

— Ma pauvre maman est bien fatiguée, bien usée. Elle aurait besoin de repos, d'un peu de bien-être... Hélas ! il lui faut s'occuper de ses petits-enfants, qui n'ont plus de mère, et faire la nourriture, soigner les vêtements de ses fils. Mon frère Vincent, lui, n'a pas une bien forte santé. Julien est infirme. Tous deux, cependant, travaillent courageusement, les pauvres garçons. Mais M. Parceuil est exigeant, et avec cela pas généreux... Ah ! bien loin de là ! A part quelques privilégiés, dont on le soupçonne de faire ses espions, il paye le moins possible et demande beaucoup de besogne. Au reste, il a la réputation d'être fort avare.

Avec un demi-sourire, la lingère ajouta :

— Allons, voilà que je fais la mauvaise langue ! Mais il est si peu sympathique, ce M. Parceuil !

— Je me souviens bien de lui, dit pensivement Mitsi. Pourtant, je ne l'ai guère vu... Mme Debrennes non plus.

— Elle aussi demeure toujours la même. Adrienne est de plus en plus sa favorite et en profite pour faire du tort à ceux qui ne lui plaisent pas. Elle est quelquefois bien mauvaise avec moi... mais je suis obligée de tout supporter, car si je partais d'ici, mes frères seraient certainement renvoyés des forges. Que deviendrions-nous alors ? La vie est déjà si difficile, si dure pour eux, là-bas !

La porte de la lingerie, à ce moment, fut ouverte par une main autoritaire. Mme Léonie parut, presque semblable à autrefois. On voyait peu de rides sur son visage rebondi; sa perruque continuait d'être du même blond roux, sur lequel tranchait le tulle noir du bonnet. Les yeux clairs, sous leurs paupières un peu gonflées, gardaient l'expression de méchanceté sournoise dont se souvenait trop bien Mitsi.

— Ah ! vous voilà, vous ?

La femme de charge toisait la jeune fille, qui s'était levée. Une lueur — surprise et contrariété mêlées — passa dans son regard. Elle dit sèchement :

— Eh bien, vous allez vous mettre tout de suite à la besogne. Mais ce n'est pas à la lingerie que vous serez employée. Mme la présidente a décidé de vous faire remplacer la bonne du petit M. Jacques qui a dû entrer hier à l'hôpital, ayant été prise de la scarlatine.

Mitsi échangea avec Marthe un regard désolé. Ce lui aurait été une consolation de travailler en compagnie de celle qui se montrait si bienveillante pour elle.

Léonie vit ce regard et ricana :

— Ça ne vous plaît pas? Dommage, vraiment! Il faudra tout de même bien que vous vous en arrangiez, ma petite... Venez, je vais vous présenter à Dorothy, la gouvernante anglaise de M. Jacques.

Après une longue poignée de main à Marthe, Mitsi, le cœur serré, suivit la femme de charge. Par l'escalier de service, elles gagnèrent le premier étage et, longeant un corridor, arrivèrent à l'appartement réservé à l'héritier de Tarlay.

Léonie ouvrit une porte et annonça :

— Je vous amène votre aide, Dorothy.

Mitsi vit devant elle une vaste chambre tendue de soie blanche à bouquets pompadour, éclairée par deux hautes fenêtres garnies de grands rideaux en tulle brodé. Dans un lit d'acajou à incrustations de cuivre reposait un frêle petit garçon dont le visage maigre et souffreteux paraissait couvert d'une rougeur de fièvre. Il tenait les yeux fermés, et ses petits bras trop menus, ses mains fluettes s'abandonnaient sur le drap de fine toile, orné de superbes broderies.

Au milieu de la pièce, près d'un grand guéridon recouvert d'un tapis de velours vieil or, se tenait assise, occupée à coudre, une petite femme mince et blonde, au visage osseux et fané. Elle portait une robe grise tout unie, qu'ornaient seulement un col et des manchettes de toile blanche. Ses cheveux, très serrés, formaient derrière la tête un disgracieux chignon... A l'entrée de Léonie et de Mitsi, elle arrêta le mouvement de son aiguille et leva sur elles des yeux pâles et froids.

S'avançant de quelques pas, Léonie dit à mi-voix en désignant l'enfant :

— Eh bien, ça ne va donc pas ?

L'Anglaise répondit avec calme :

— Non... pas. J'ai fait dire à madame que j'envoyais chercher le médecin...

Elle s'exprimait lentement, avec une évidente difficulté.

Léonie hocha la tête :

— Il pourrait bien avoir la scarlatine, lui aussi ?

— Oui... je pense justement... La fièvre... mal de gorge...

A ce moment le petit garçon fit un mouvement et ouvrit les yeux. Léonie s'approcha, en disant doucereusement :

— C'est comme ça, monsieur Jacques, que vous voulez faire le malade ?

L'enfant ne répondit pas. Il semblait accablé par la fièvre. Mitsi, qui s'avançait aussi, rencontra le regard souffrant de deux beaux yeux foncés, qui s'attachèrent longuement à elle.

— Oui, ce doit être la scarlatine, dit-elle à mi-voix, s'adressant à la gouvernante qui se tenait près d'elle. J'ai aidé à soigner des enfants qui l'avaient l'année dernière, au pensionnat d'où je viens.

Elle s'exprimait en anglais, avec la plus grande facilité, cette langue lui ayant été enseignée par sœur Hélène, qui la connaissait parfaitement. Dorothy parut stupéfaite ; mais avant qu'elle pût témoigner son étonnement, Léonie se détourna, la mine revêche.

— Qu'est-ce que vous baragouinez là, vous ?... Est-ce que vous auriez la prétention de savoir l'anglais, par hasard ?

— Et pourquoi ne le saurais-je pas, madame ? répondit Mitsi avec une calme dignité.

— Qui donc vous aurait payé ces leçons-là ?

— Une bonne religieuse me les a données, pour

rien, avec la pensée que cette connaissance pourrait un jour m'être utile.

— Utile à quoi, je vous le demande? Une servante, une ouvrière en lingerie n'a pas besoin de ça... Je vais lui montrer sa chambre, Dorothy, et puis je vous la renverrai, pour que vous la mettiez tout de suite à son service... Ah! voilà Mme la présidente, je parie!

On entendait un bruissement de soie... Sur le seuil de la porte restée ouverte apparut Mme Debrennes, toujours imposante et portant haut la tête, toujours coiffée de cheveux très noirs qui formaient des coques sortant de la précieuse dentelle blanche du bonnet garni de rubans jaune d'or.

Derrière elle se montrait la tête blonde de Florine. Mais tandis que la présidente s'avançait jusqu'au lit de son petit-fils, Mlle Dubalde s'arrêta près de l'entrée. Tout aussitôt son regard tomba sur Mitsi qui s'était détournée. Le délicieux visage apparaissait en pleine lumière. Florine eut un léger mouvement de surprise et fronça les sourcils. Quant à la présidente, elle saisit le face-à-main d'écaille qui pendait sur sa robe de taffetas gris et lorgna la jeune fille avec une telle insistance que Mitsi, gênée, dut baisser les yeux.

Léonie dit avec empressement :

— C'est Mitsi, madame la présidente. Elle est arrivée tout à l'heure...

— Mitsi... Oui, je reconnais... Mais je ne pensais pas que...

Elle n'acheva point sa phrase. Mais elle continuait de regarder la jeune fille, sans le moindre atome de bienveillance, d'ailleurs.

Léonie expliqua :

— Elle commencera dès ce soir à aider Dorothy, qui va avoir à faire, si M. Jacques a la scarlatine, comme c'est à craindre.

Florine recula jusqu'au seuil de la porte :

— Vous croyez?... Quel ennui ce serait !

— Et notre départ pour Rivalles qui se trouverait retardé jusqu'à je ne sais quand ! s'exclama la présidente. J'espère que vous vous trompez, Léonie !

— Je le voudrais, madame. Mais j'ai bien peur... Louise avait les mêmes symptômes... Allons, venez, Mitsi; il ne s'agit pas de traîner, car on a besoin de vous.

Mitsi s'inclina pour saluer les deux dames, qui ne lui répondirent pas. Quand elle passa près de Florine, celle-ci l'enveloppa d'un regard de curiosité hostile... Tandis que la femme de charge et sa jeune compagne s'éloignaient, Mme Debrennes adressa quelques mots à l'enfant, tapota sa joue brûlante et donna l'ordre à la gouvernante de lui faire connaître le diagnostic médical, dès que le petit malade aurait été examiné. Tout cela était accompli avec correction, absolument comme si le jeune être couché là eût été pour elle un indifférent. Le cœur de cette femme, abîme d'égoïsme, n'avait jamais connu l'affection maternelle, sinon peut-être pour Christian. Mais encore fallait-il voir surtout, dans l'idolâtrie dont elle avait toujours entouré son petit-fils, l'effet de l'orgueil démesurément flatté par les dons remarquables dont il était pourvu, à tous points de vue, et par la situation prépondérante que lui donnaient son nom, sa fortune, joints à ces dons eux-mêmes.

Florine n'avait pas quitté le seuil de la porte. Elle expliqua, tandis que la présidente revenait vers elle :

— Je n'ai pas eu la scarlatine et je ne me soucierais pas du tout de la prendre.

— Tu as bien raison, mon cœur. Ce serait tout à fait inutile, et fort désagréable... Peut-être, d'ailleurs, n'y a-t-il là qu'un de ces malaises auxquels Jacques est malheureusement sujet, avec sa santé chétive. Il faut l'espérer; autrement, je ne sais trop comment il supporterait une maladie un peu sérieuse... Enfin,

Dorothy le soignera bien, car c'est une personne consciencieuse et entendue.

Les deux femmes, tout en parlant, avaient quitté la chambre de l'enfant et se dirigeaient vers l'appartement de la présidente... Florine approuva de la tête ces dernières paroles de Mme Debrennes; puis elle demanda :

— Dites donc, marraine, comment trouvez-vous cette jeune fille ?... Cette Mitsi ?

La présidente pinça les lèvres :

— Très jolie, évidemment... Oui, impossible de dire le contraire... Beaucoup trop jolie... et un genre très fin, très... distingué...

Florine dit avec un rire bref :

— Je pense qu'elle ne manquera pas d'admirateurs, à l'office.

La présidente eut un haussement d'épaules, en répliquant avec le plus profond dédain :

— Qu'elle s'arrange ! Par mes soins, elle a reçu une excellente éducation... mais nous avons tout lieu de craindre qu'elle suive les traces de sa misérable mère. Tant pis pour elle ! Comme elle sera sans excuse, je la chasserai impitoyablement dès qu'il me sera démontré qu'elle est indigne de ma protection... et elle deviendra alors ce qu'elle pourra.

Florine ne releva pas ces paroles. Un pli barrait son front bas, que dégageaient les cheveux blonds frisés avec art. Toujours, elle avait ressenti une vive jalousie pour les femmes douées de beauté ou d'un charme qui leur attirait les hommages masculins.

Ainsi, dès son arrivée, la pauvre Mitsi, sans le savoir, s'attirait une animosité à laquelle bientôt allaient s'en ajouter d'autres.

Le petit Jacques avait décidément la scarlatine. Bien qu'elle ne présentât pas en la circonstance un caractère particulièrement virulent, cette maladie était redoutable pour un organisme débile tel que celui-là. Dès le début, le médecin ne cacha pas ses craintes à Dorothy... La gouvernante, répétant un peu après à Mitsi ce qu'il lui avait dit, ajouta :

— Nous le soignerons du mieux possible. Mais si la maladie l'emporte, il ne laissera pas beaucoup de chagrin après lui, ce pauvre petit Jacques.

Mitsi put se convaincre, par la suite, que Dorothy disait vrai. Aux moments les plus critiques de la maladie, Mme Debrennes venait ponctuellement voir l'enfant dans l'après-midi, restait cinq minutes dans la chambre et se retirait majestueusement. Le matin et le soir, elle envoyait sa femme de chambre prendre des nouvelles. Quant à Florine, non seulement elle ne paraissait pas chez le petit malade, mais encore, elle évitait soigneusement les approches de son appartement et s'écartait avec précaution quand, par hasard, elle rencontrait dans l'hôtel une des personnes qui le soignaient.

Une religieuse garde-malade venait veiller l'enfant la nuit. Pendant le jour, Dorothy et Mitsi s'occupaient de lui. La gouvernante était une femme consciencieuse et froide, qui s'acquittait ponctuellement de sa tâche, sans y joindre l'intérêt affectueux. Sous ce rapport, d'ailleurs, le petit Jacques semblait bien déshérité. On le disait triste et maussade; mais Mitsi eût très vite l'intuition que le pauvre petit être souffrait de n'être point aimé.

Dès le premier jour, l'enfant parut éprouver de la sympathie pour elle. Sympathie non démonstrative, d'ailleurs. Il laissait prendre par elle sa main brûlante, alors qu'il la retirait avec impatience d'entre les doigts de sa grand-mère ou de Dorothy. Tandis que la gouvernante avait peine à lui faire absorber les médicaments prescrits, il les acceptait docilement de la main de Mitsi. Dès que la jeune fille s'éloignait il réclamait de sa petite voix faible, avec une intonation volontaire :

— Mitsi !... Je veux qu'elle reste !

Mitsi était d'instinct une admirable infirmière. Elle avait, en outre, une nature faite pour le dévouement et, dès le premier moment, éprouvait une tendre compassion pour ce petit être entouré d'opulence, mais privé de toute affection. Elle fut une remarquable auxiliaire du médecin dans la lutte contre la mort qui essayait d'emporter le frêle enfant. Pendant deux jours surtout, le Dr Massard — l'un des premiers praticiens de Paris — se montra fort inquiet. Jacques délirait, et parmi les mots sans suite qu'il prononçait revenait fréquemment ceux-ci :

— Papa... voir papa...

Par les conversations de l'office, Mitsi savait que M. de Tarlay, qui voyageait en Orient, n'avait pas encore annoncé son retour. Bien que la présidente l'eût informé de la maladie de son fils, il jugeait probablement qu'il n'y avait pas lieu, pour ce motif, d'interrompre son voyage.

Le deuxième jour de la phase la plus critique, le médecin dit à Dorothy, qui l'accompagnait hors de la chambre :

— Je crois qu'il serait bon de télégraphier à M. de Tarlay que l'état s'est beaucoup aggravé, et que je ne réponds de rien.

Quand l'Anglaise, un peu plus tard, répéta ces

paroles à Mitsi, celle-ci dit avec une indignation qu'elle ne put maîtriser :

— Ce télégramme ne devrait-il pas être parti dès la première annonce de la maladie ? Cependant, M. de Tarlay doit bien supposer que celle-ci peut être dangereuse pour un enfant aussi chétif !

— Oh ! ma chère, je crois que M. le vicomte ne s'inquiète guère au sujet de son fils !... au sujet de personne au monde, d'ailleurs. Il ne songe qu'à ses distractions, à son bon plaisir. Le reste est bien peu de chose à ses yeux.

Ce que Mitsi entendait dire par les domestiques concordait bien avec ce portrait du parfait égoïste que traçait la gouvernante. M. de Tarlay semblait en outre être craint de ses serviteurs, qui ne parlaient cependant de lui qu'avec une sorte d'admiration déférente, alors qu'ils ne se gênaient guère pour tomber à l'envi sur la présidente, vaniteuse et exigeante, sur l'avare Parceuil, sur la coquette parasite qu'était Mlle Dubalde.

Ces repas à l'office, en contact avec la domesticité, représentaient pour Mitsi une dure épreuve. Dès le premier jour, elle avait excité la jalousie des femmes et l'attention la plus empressée de la part des hommes. Dans sa tenue de servante, avec sa robe noire, son tablier brodé, son petit bonnet de tulle blanc d'où ressortaient les boucles brillantes de ses cheveux, elle avait mieux que jamais l'air d'une délicieuse princesse travestie en soubrette. Déjà, plus d'une parole admirative lui avait été murmurée. Mais elle restait froide et fière, parlant peu, polie avec tous, simplement. Les femmes disaient avec dépit : « C'est une péronnelle, une orgueilleuse. Attendez un peu, qu'on lui montre un de ces jours le cas qu'on fait d'une créature comme elle, qui sort d'on ne sait où, qui a sûrement tous les vices dans le sang. »

Cette charitable prévision avait été répandue par Adrienne, l'ancienne ennemie de Mitsi, qui avait senti se réveiller, plus vive que jamais, son animosité d'autrefois devant celle qui reparaissait jeune fille, douée d'un charme incomparable, d'une beauté que le clan masculin de l'office déclarait sans rivale. Secrètement, elle s'était juré de lui rendre la vie impossible dans la maison, et si elle le pouvait de la faire chasser — « pour la punir de ses grands airs », songeait-elle avec une colère envieuse, en suivant des yeux la souple et fine silhouette dont la grâce aristocratique était si frappante.

Un jour enfin — quarante-huit heures après que le médecin eut déclaré Jacques hors de danger immédiat — une dépêche annonça l'arrivée de M. de Tarlay pour le lendemain.

La présidente l'apprit à son arrière-petit-fils, en venant lui faire sa visite quotidienne. Mitsi, qui à ce moment apportait un bol de tisane à l'enfant, fut frappée de l'éclair de bonheur passant tout à coup dans les beaux yeux las et fiévreux encore.

Un peu après, se trouvant seule avec le petit malade, elle lui demanda, en posant une main caressante sur le front un peu brûlant :

— Vous êtes content de voir arriver votre papa, mon chéri ?

Il murmura :

— Oui.

— Vous l'aimez beaucoup ?

Il ne répondit pas. Mais un soupir gonfla sa maigre petite poitrine. Dans son regard, Mitsi vit une expression de détresse douloureuse, saisissante chez un être si jeune. Elle pensa, le cœur serré : « Pauvre petit, souffrirait-il de l'indifférence de son père ? »

Avec le souvenir qui lui était resté du vicomte, la pensée de le revoir lui était fort désagréable. Aussi bénit-elle le hasard qui la fit se trouver absente

66

quand M. de Tarlay vint voir son fils, le lendemain de son arrivée.

Cette visite avait laissé dans le regard de Jacques une petite .lueur de joie. Quand Mitsi reparut près de lui, il dit en caressant de ses doigts maigres la main de la jeune fille :

— Mitsi, j'ai vu papa.

— Vous voilà heureux, maintenant qu'il est revenu, mon petit Jacques ?

La lueur s'éteignit dans les belles prunelles foncées, les paupières s'abaissèrent. Très bas — si bas qu'à peine Mitsi l'entendit — l'enfant murmura :

— Papa ne m'aime pas.

4

Le départ pour Rivalles n'avait pas eu lieu à l'époque fixée, par suite de la maladie de Jacques. Mais dès son arrivée, Christian donna l'ordre que l'on procédât sans retard à l'installation au château. La domesticité nécessaire resterait à Paris pour assurer le service de l'enfant, qui serait transporté à Rivalles aussitôt que le médecin le jugerait possible.

Il y eut donc quelque effarement dans l'hôtel de la rue de Varenne, en ces jours qui suivirent le retour de M. de Tarlay. Mais à la date fixée par lui, tout était prêt à Rivalles, où déjà s'installaient la présidente et Florine. Mitsi vit avec regret partir son amie Marthe, près de qui, le soir, dans sa petite chambre sous les toits, elle passait quelques instants de bonne causerie. Mais elles se retrouveraient bientôt... et par contre, Mitsi se voyait délivrée pour un peu de temps des empressements masculins si pénibles pour sa nature délicate et fière — parmi lesquels ceux d'un valet du nom de Théodore, garçon fat et arrogant, lui devenaient particulièrement désagréables.

La veille du jour fixé pour le départ du vicomte, le médecin vint voir Jacques dans la matinée. Agé d'une soixantaine d'années, le Dr Massard cachait sous une apparence assez froide un cœur loyal et bon. Il se montrait doux et très paternel pour le petit malade qui, de son côté, paraissait l'avoir en grande sympathie.

Après avoir examiné l'enfant, ce matin-là, il déclara :

— Eh bien, cela ne va pas mal... pas mal du tout. Il y a sensible progrès, depuis deux jours...

Il s'adressait à Mitsi, qui se trouvait seule ce matin, Dorothy, prise de migraine et de vertiges, ayant été obligée de se recoucher.

Après avoir donné à la jeune fille quelques indications au sujet d'une médication nouvelle destinée à combattre la grande faiblesse du malade, il ajouta en attachant un regard de profond intérêt sur le charmant visage un peu altéré :

— Mais vous, mon enfant, il ne faut pas vous surmener. Vous avez la mine très fatiguée... Je crains que ce petit despote-là n'abuse de l'aimable garde-malade que vous êtes.

Mitsi sourit en regardant Jacques avec une douceur affectueuse :

— Mais non, pas du tout. Je suis d'ailleurs si heureuse de pouvoir lui être utile, pauvre cher petit !

— Certes, vous l'avez été ! En vous, j'ai trouvé ma meilleure auxiliaire, au cours de cette maladie. Votre dévouement, votre intuition vraiment maternels ont certainement beaucoup aidé à...

Il s'interrompit, en voyant Mitsi faire un mouvement en arrière, tandis qu'elle regardait vers la porte qui séparait la chambre de la pièce où avait coutume de jouer Jacques, avant sa maladie.

Le docteur se détourna et dit vivement :

— Ah ! monsieur de Tarlay !... Je suis enchanté de vous voir pour vous annoncer une amélioration notable...

Laissant retomber derrière lui la portière de soie vieil or, Christian s'avança vers le lit et tendit la main au médecin. Ils échangèrent quelques mots au sujet de l'enfant, dont les yeux fatigués s'éclairaient tout à coup... Mitsi s'était reculée à quelque distance. Mais Jacques l'appela :

— Mitsi, ne t'en va pas... dis !

M. de Tarlay se détourna. Mitsi rencontra un regard surpris qui, presque aussitôt, parut vivement intéressé.

— Ah ! la petite Mitsi d'autrefois ?... J'ignorais que vous fussiez ici, Mitsi.

Jacques dit de sa voix faible :

— Elle est ma bonne, et je l'aime beaucoup.

— Ta bonne ?... Ah ! vraiment !

Une lueur d'amusement ironique traversait les yeux d'un bleu foncé, qui s'attachaient longuement sur la jeune fille — si longuement que Mitsi, rougissante, baissa les siens tandis qu'un petit frisson de gêne la parcourait tout entière.

S'adressant au docteur, M. de Tarlay lui fit quelques questions relatives au temps nécessaire pour que Jacques pût être emmené à Rivalles. Puis, après avoir passé un doigt distrait sur la joue de l'enfant qui le regardait avec une sorte d'extase, il sortit de la chambre avec le docteur. Celui-ci, au passage, adressa un signe amical à Mitsi. Christian, lui, eut de nouveau pour elle le même regard d'impérieux intérêt, de troublante hardiesse... Et quand il eut disparu, Mitsi, pendant longtemps, demeura sous l'impression d'un malaise profond, qu'elle ressentit encore les jours suivants quand sa pensée, malgré elle, revenait à M. de Tarlay, évoquait l'élégante et hautaine silhouette, le beau visage dont les traits s'étaient virilisés, en ces cinq années, les yeux superbes et volontaires, qu'elle redoutait de revoir.

La maladie de l'enfant suivait son cours normal. Mais la faiblesse restait inquiétante. Le Dr Massard disait :

— J'ai hâte qu'il puisse partir pour Rivalles. L'air de la campagne lui vaudra mieux que tout, à ce petit.

Par une lettre de Marthe, Mitsi savait que le château avait déjà un hôte : Olaüs Svengred, qui était resté le meilleur ami de M. de Tarlay, venait d'y arriver. On attendait pour un peu plus tard M. et Mme Thibaud de Montrec.

J'ai beaucoup d'ouvrage, ajoutait la lingère. Heureusement on vient de me donner une aide. C'est une brave fille du pays, élevée dans un orphelinat et qui travaille admirablement. Nous nous entendons fort bien. Mais je serais beaucoup plus contente encore si je vous avais à sa place, chère Mitsi.

En soupirant, Mitsi songea : « Oui, j'aimerais à travailler près de cette bonne Marthe... Mais, d'autre part, je suis bien attachée à mon pauvre petit Jacques. »

L'enfant lui témoignait une tendresse qui s'épanchait peu au-dehors, mais qu'il savait lui montrer par un geste caressant, par un regard de ses beaux yeux languissants. Plus que jamais, il la voulait sans cesse près de lui... Fort heureusement, l'Anglaise n'était pas jalouse de cet attachement. Sa nature indifférente ne connaissait pas ce sentiment et s'accommodait fort bien de ce qu'elle appelait l'engouement de Jacques.

Un après-midi, en venant apporter au petit garçon un bol de bouillon, Mitsi trouva M. de Tarlay assis près du lit. Dorothy, debout à quelques pas, lui donnait des nouvelles de la convalescence... L'assiette trembla entre les mains de la jeune fille, le bol pencha un peu, et quelques gouttes de bouillon éclaboussèrent le tapis clairsemé de roses.

— Faites attention, Mitsi! s'exclama l'Anglaise. Vous êtes pourtant si adroite d'habitude!

— Oh! oui! Mitsi est une fée! dit la voix frêle de Jacques.

Un sourire amusé entrouvrit les lèvres de Christian:

— Je ne sais encore si elle l'est: mais en tout cas, elle en a bien l'apparence.

Une vive rougeur couvrait le teint délicat, légèrement ambré, tandis que la jeune fille avançait, les paupières un peu baissées, pour ne pas rencontrer le regard qu'elle sentait attaché sur elle. M. de Tarlay se recula un peu afin qu'elle pût s'approcher de Jacques. Celui-ci, languissamment, se souleva, tandis que Mitsi portait à ses lèvres le bol d'argent.

— Finissez de boire, mon chéri, dit-elle en voyant que le petit repoussait la tasse demi-pleine encore.

— Non, j'ai assez... Laisse-moi, Mitsi.

— Pas de caprice, Jacques. Bois cela, ordonna M. de Tarlay.

Cette fois l'enfant obéit aussitôt et ne laissa pas une goutte dans le bol.

Comme Mitsi se redressait, une main se posa sur son bras.

— Êtes-vous satisfaite de votre situation, Mitsi?

Elle eut un mouvement de recul, en retirant son bras. Après une courte hésitation, elle répondit simplement:

— J'aime beaucoup M. Jacques, et je suis très heureuse de pouvoir m'occuper de lui.

— Allons, tant mieux! Vous plaisez à Jacques... Jacques vous plaît; c'est parfait. Au reste, quand vous en aurez assez, il sera facile de vous trouver autre chose. Vous n'êtes évidemment pas destinée à rester perpétuellement bonne d'enfant.

Son regard avait une douceur railleuse qui fit un peu frissonner Mitsi.

Christian se leva et passa la main sur les cheveux de son fils, qui formaient, comme les siens, d'épaisses et soyeuses boucles brunes.

— Allons, mon petit, continue d'être sage, pour pouvoir nous arriver dans huit jours à Rivalles. Obéis à cette gentille Mitsi, dont la seule vue est bien faite pour guérir les plus malades...

Il eut de nouveau un regard, un sourire à l'adresse de Mitsi, et sortit de la chambre en répondant par un bienveillant « bonsoir, Dorothy » au salut de la gouvernante.

5

Le petit Jacques de Tarlay arriva au Château Rose par un bel après-midi de la fin de mai. Ce jour-là, son père et sa grand-mère se trouvaient en excursion avec leurs hôtes et ne devaient rentrer que le soir. On avait préparé pour l'enfant non l'appartement qu'il occupait les années précédentes, dans l'aile droite en retour sur les jardins, mais celui qui terminait l'aile gauche et faisait suite à l'appartement de M. de Tarlay. Exposé au sud-est, il réalisait tous les desiderata du Dr Massard, qui demandait pour son petit malade une exposition très ensoleillée en même temps que protégée un peu des fortes chaleurs estivales. La présidente, tout d'abord, avait déclaré impossible de donner à son petit-fils cet appartement où l'on avait coutume de loger les amis célibataires du vicomte. Mais elle avait dû s'incliner devant la volonté de Christian, qui, à sa grande surprise, s'était pour la première fois occupé d'une question concernant son fils.

Le petit convalescent avait bien supporté le voyage, et Mitsi le trouva le lendemain matin assez dispos. Par contre, Dorothy semblait toute dolente. Elle se sentait souffrante depuis quelque temps, disait-elle, et avait grand besoin de repos. Vers 2 heures, quand Jacques fut levé, puis installé dans le grand salon qui donnait sur la petite terrasse terminant l'aile sud, la gouvernante se retira dans sa chambre, voisine de celle de l'enfant, laissant le petit convalescent à la garde de Mitsi.

La jeune fille travaillait près de lui à un ouvrage de lingerie. Jacques, les yeux clos, semblait sommeiller. Mais tout à coup il demanda, avec la voix câline qu'il prenait parfois en s'adressant à Mitsi :

— Chante veux-tu, ma Mitsi ?

— Plus tard, mon chéri, quand les fenêtres seront fermées.

— Non, maintenant !... Pourquoi tu as peur qu'on t'entende ? C'est si joli, quand tu chantes !

— Tout le monde ne serait peut-être pas de cet avis, mon cher petit.

— Si, si, bien sûr !... Et puis, personne ne t'entendra.

Mitsi jeta un regard vers la grande terrasse, au bord de laquelle s'alignaient des caisses de lauriers-roses et d'orangers, puis vers le parterre fleuri qui s'étendait entre les deux ailes, et auquel on accédait par trois degrés de marbre rose. Tous ces alentours paraissaient complètement déserts.

En outre, le salon où Mitsi se trouvait avec l'enfant était assez éloigné de l'appartement du châtelain pour qu'il n'y eût aucun risque d'être entendue de ce côté.

Désireuse de distraire le petit convalescent, que

peu de choses amusaient, Mitsi commença donc un vieux Noël qu'elle chantait dans la chapelle du couvent. Elle contenait sa voix qui néanmoins révélait son timbre souple et sa pureté rare. Jacques, les mains jointes, la regardait, l'écoutait avec un air extasié... Mais comme la dernière note passait entre les lèvres de la jeune fille, le petit garçon se redressa un peu sur son fauteuil en s'exclamant :

— Ah ! papa !

Christian apparaissait au seuil de la porte-fenêtre ouverte sur la petite terrasse. Il était suivi de son dogue Attila, celui dont il avait autrefois menacé la petite Mitsi venue en suppliante devant lui.

Mitsi, dont le visage s'empourprait soudainement, se leva, s'écarta un peu, son ouvrage à la main, en baissant légèrement ses paupières aux longs cils foncés.

— Quelle voix délicieuse !... Il ne faudra pas la réserver seulement à Jacques, charmante petite artiste que vous êtes !

L'enfant s'écria :

— N'est-ce pas qu'elle chante bien, papa ?

— Très bien. Avec d'excellentes leçons, elle deviendra une admirable artiste.

Il s'approchait en parlant, et mit sa main sur l'épaule de la jeune fille :

— ... Cette perspective vous plaît-elle, Mitsi ?

D'un mouvement léger, elle essaya de se dégager. Mais cette main fine était singulièrement ferme, sans dureté, d'ailleurs. Comme Christian se penchait un peu, Mitsi, en levant les yeux, vit tout près d'elle son visage souriant, son regard étincelant d'ironie caressante.

— Je ne l'ai jamais envisagée, monsieur le vicomte... et je ne crois pas que cette carrière me soit jamais accessible.

— Pourquoi pas ? D'autres ont réussi qui n'avaient

pas la moitié des atouts que vous possédez. Avec mon aide, vous verrez que tout s'arrangera très facilement.

— Je remercie monsieur le vicomte, mais je n'ai pas du tout d'ambition, et le travail humble, simple, conviendra mieux à ma nature.

La délicatesse de Mitsi, l'instinctive prudence de son âme pétrie par l'enseignement chrétien de la sœur Hélène venaient d'avertir son inexpérience qu'il « fallait » faire cette réponse.

Christian eut un sourire moqueur :

— On voit que vous sortez du couvent, petite fille. Vous ignorez tout de la vie et de ce qu'elle peut vous promettre.

Il s'assit près de son fils et se pencha pour mettre un baiser distrait sur le front de l'enfant :

— Ce voyage s'est bien passé, paraît-il ?

La question s'adressait plus à Mitsi qu'à Jacques. La jeune fille répondit en essayant de raffermir sa voix :

— Très bien, monsieur le vicomte.

— Tant mieux... Mais que faites-vous à rester là debout, Mitsi ? Reprenez donc votre place.

Elle obéit. La rougeur ne quittait pas son visage, et ses doigts un peu tremblants laissèrent échapper le dé d'acier, qui roula aux pieds de Christian.

M. de Tarlay se pencha vivement, le ramassa et le tendit à la jeune fille, qui remercia d'un air timide et confus.

— Voyons, racontez-moi donc ce que vous faisiez à votre couvent ?... et ce qu'on vous y a appris ?

Il parut apporter un réel intérêt aux réponses de Mitsi. Mais celui qui l'eût observé en ce moment se serait convaincu que cet intérêt s'adressait presque uniquement à la personne de son interlocutrice, à ce fin visage sous l'épiderme velouté duquel frémissait un sang vif, à ces yeux bruns aux lueurs d'or, que couvraient d'une ombre les grands cils foncés.

Mitsi, par un effort de volonté, réussissait à dominer quelque peu sa gêne. Celle-ci, pourtant, était profonde. Elle augmentait même, à mesure que les minutes s'écoulaient, car le regard de M. de Tarlay ne la quittait pas et décelait un intérêt de plus en plus vif.

Attila, qui s'était couché aux pieds de son maître, redressa tout à coup la tête... On entendait un bruissement de soie, le choc léger de talons sur le marbre de la terrasse.

Les sourcils de Christian se rapprochèrent, tandis qu'avec une intonation d'impatience, il disait :

— Je crois que voilà grand-mère.

C'était bien en effet Mme Debrennes qui apparaissait au seuil d'une des portes-fenêtres. Derrière elle se montrait Florine qui jugeait maintenant sans danger d'approcher l'enfant.

Toutes deux ne purent contenir un mouvement de surprise à la vue de Christian qui se levait sans aucun empressement.

— Toi, Christian ? s'exclama la présidente. Je ne pensais pas te trouver ici.

— Mais pourquoi donc, grand-mère ? Jugeriez-vous que ce n'est pas ma place ?

Il avait, en parlant ainsi, un air de froide raillerie que redoutait fort la présidente.

— Voyons, qu'imagines-tu là, mon cher enfant ? Mais je n'avais pas coutume de te rencontrer près de notre petit Jacques... Comment va-t-il, ce convalescent ?

Christian, qui venait d'effleurer de ses lèvres la main que lui offrait son aïeule, répondit brièvement :

— Mais pas mal, me paraît-il.

Le regard de Florine, dès l'entrée, avait été chercher Mitsi qui s'était levée, elle aussi, et se tenait à l'écart. Une lueur d'inquiétude y passa, très vive. Mais ce fut avec le plus doux des sourires que Mlle Dubalde tendit à M. de Tarlay ses doigts blancs garnis de quelques fort belles bagues, cadeaux de sa marraine.

Christian les serra distraitement. La beauté blonde de son amie d'enfance, le sourire enchanteur, la toilette du matin savamment apprêtée semblaient le laisser complètement insensible.

Après avoir embrassé Jacques, dont la physionomie, tout à coup, devenait morose, la présidente demanda en jetant vers Mitsi un coup d'œil sans bienveillance :

— Où est donc Dorothy ?

— Elle se repose, madame la présidente. Depuis quelque temps, elle est très fatiguée.

— S'est-elle couchée ?

— Je ne le crois pas.

— Eh bien, qu'elle vienne me donner elle-même des nouvelles de Jacques.

Christian dit ironiquement :

— Je crois que Mitsi vous les donnerait tout aussi bien, grand-mère... A tout à l'heure. Je pense que Svengred doit m'attendre depuis un moment.

Il fit un mouvement pour s'éloigner... Puis il ajouta :

— Je désire que cette partie de la terrasse, devant mon appartement, me soit entièrement réservée. Il vous sera tout aussi facile de passer par l'intérieur, pour venir ici.

— Ah ! bien, mon cher ami... Oui, en effet... Je regrette si nous t'avons contrarié, sans le savoir.

Mitsi s'était éclipsée pour avertir Dorothy. Elle ne reparut dans le salon qu'après le départ des deux dames, quand l'Anglaise vint la chercher, en disant avec quelque mauvaise humeur :

— C'était bien la peine que Mme Debrennes me

dérange ! A peine a-t-elle paru faire attention aux nouvelles que je lui donnais de son petit-fils ! Mais par contre, elle s'est informée près de Jacques si M. le vicomte était là depuis longtemps... Vraiment, elle avait un drôle d'air, aujourd'hui... comme si quelque chose la préoccupait beaucoup.

Cette préoccupation de la présidente, Dorothy en aurait connu le motif si elle avait entendu les propos échangés entre la vieille dame et sa filleule, au sortir de l'appartement de Jacques. Dans la grande galerie qui occupait tout un côté du bâtiment central, sur les jardins, unissant ainsi les deux ailes, Mme Debrennes s'arrêtait brusquement, en posant sur le bras de Florine une main agitée :

— Tu ne trouves pas singulier, Florine, que Christian soit si pressé d'aller voir son fils ?

Mlle Dubalde, dont le front s'était profondément plissé, dit avec une colère contenue :

— Très singulier... Cette Mitsi est beaucoup trop jolie, marraine.

— Cependant, jusqu'ici, Christian n'a jamais accordé d'attention à une personne de la domesticité. Il est trop orgueilleux pour cela... ou du moins, je le jugeais ainsi.

Mlle Dubalde eut un léger mouvement d'épaules :

— Il n'avait probablement pas rencontré quelqu'un qui lui plût. Mais cette petite jeune fille a une physionomie... dangereuse.

— Oui, c'est vrai... et une incroyable distinction... une mine de princesse, en vérité !

— Oh ! vous exagérez !

Florine pinçait les lèvres, et une lueur jalouse s'allumait dans ses prunelles.

— Non, non, ma chère enfant... Et il est bien certain que Christian, qui a infiniment de goût, a pu être frappé par cette physionomie peu banale... réellement très séduisante. Puis encore, cette fille doit tenir de sa mère les pires instincts de coquetterie perverse. Mais heureusement, il est temps encore de couper court au danger. Dès demain, Mitsi cessera son service près de Jacques et sera employée à la lingerie.

Florine dit d'un air sombre :

— Vous n'empêcherez pas Christian de la revoir, si elle lui plaît.

— Ce sera beaucoup plus difficile, d'autant mieux que je la ferai tenir très sévèrement par Léonie. Avec celle-ci, je serai tranquille, car elle n'a pas la moindre sympathie pour cette jeune personne... et il y a tout lieu de penser que Christian, qui l'a si peu vue encore, ne songera pas à poursuivre davantage cette fantaisie dont il n'aura plus l'objet sous les yeux.

— Espérons-le, murmura Florine, dont les traits ne se détendaient pas.

6

Léonie se réjouissait à l'avance de la mine déconfite que ferait « cette péronnelle de Mitsi » quand elle lui annoncerait qu'il fallait changer de service. Aussi fut-elle fort surprise et déçue dans sa méchanceté, en voyant la jeune fille accueillir cette nouvelle avec une sorte de satisfaction.

De fait, Mitsi, quelle que fût sa peine de quitter le service de l'enfant auquel, très sincèrement, elle s'était attachée, éprouvait un singulier soulagement à la pensée que sa nouvelle situation la tiendrait éloignée des lieux où elle pouvait rencontrer M. de Tarlay. L'intérêt qu'il lui témoignait l'effrayait instinctivement. Elle redoutait ce regard, ce sourire qui la troublaient, dont sa pensée demeurait possédée. Un danger existait là, elle le sentait. Il fallait donc le fuir. Mais elle n'eût pu le faire, si la présidente, par sa décision subite, ne lui en avait donné le moyen.

Dorothy, quand elle apprit qu'on lui retirait son aide, ne cacha pas à Léonie son mécontentement :

— Voilà une singulière idée ! Mitsi me rendait de grands services, et vous ne me retrouverez pas facilement la pareille. En outre, l'enfant l'aime beaucoup et il aura certainement un grand chagrin en apprenant qu'on la lui enlève.

— Cela passera, déclara Léonie avec désinvolture. Mais Mitsi sera bien mieux à sa place dans la lingerie et y rendra plus de services. Adrienne connaît aux environs une jeune fille qui la remplacera parfaitement près de M. Jacques.

Avec l'Anglaise, Mitsi convint de n'apprendre la nouvelle au petit garçon que le lendemain, c'est-à-dire au moment où elle se rendrait à son travail, afin que l'enfant n'en fût pas agité pour la nuit.

Bien leur en prit, car Jacques manifesta un véhément chagrin et s'agrippa à la jeune fille en criant qu'il ne la laisserait pas partir :

— Je t'aime trop, Mitsi, je veux que tu restes avec moi, toujours !

Elle réussit à le calmer un peu, à force de raisonnements, et en lui promettant de venir le voir tous les jours. Puis, les larmes aux yeux, elle quitta la nursery et alla retrouver à la lingerie Marthe et la jeune fille du village qu'on lui avait donnée comme aide.

Mais Jacques ne se résignait pas. Il refusa de manger, pleura fréquemment en disant qu'il voulait Mitsi. Le soir, il eut la fièvre, et la nuit fut mauvaise. Vers 9 heures, Dorothy, inquiète de le voir rouge et agité, envoya un domestique prévenir le Dr Leroux, médecin du village de Blanvin, non loin des forges.

Il avait déjà soigné l'enfant, aux précédents séjours d'été des châtelains, et le Dr Massard s'était mis en correspondance avec lui au sujet du traitement à continuer pour le petit convalescent. Vers 11 heures, il arriva au château et fut introduit près de Jacques. Après un minutieux examen, il s'informa près de l'Anglaise des causes qui avaient pu amener cette petite rechute.

Dorothy déclara qu'elle n'en voyait qu'une : le chagrin qu'avait l'enfant de perdre une bonne qu'il aimait beaucoup.

— Eh bien, si c'est possible, il faut la lui rendre, dit le médecin. Ce sera peut-être plus efficace que les médicaments, dans le cas présent.

La gouvernante répondit qu'elle en parlerait à Mme la présidente. Là-dessus, après avoir écrit quelques prescriptions, le Dr Leroux s'éloigna... Dans le vestibule, il se trouva en face de M. de Tarlay et de son ami Svengred, qui rentraient d'une promenade à cheval.

— Tiens, vous docteur? dit Christian en lui tendant la main... Qui est malade ici?

— Votre fils, monsieur le vicomte.

— Mon fils?... Mais il n'était vraiment pas mal, hier. Que s'est-il produit?

— Il n'y a rien de grave, je l'espère. L'enfant a, paraît-il, éprouvé une contrariété, un chagrin, et il est si nerveux que cela suffit pour ramener un peu de fièvre.

— Quel chagrin a-t-il donc pu avoir?

— On lui a enlevé une bonne à laquelle il était très attaché, m'a dit la gouvernante.

La physionomie jusque-là presque indifférente s'anima d'un soudain intérêt.

— Comment, on lui aurait enlevé Mitsi? Voilà, par exemple, une singulière idée!

— Si la chose n'est pas impossible, il serait bon que cette personne revînt près du petit malade.

— Mais pas impossible du tout !... Je vais m'occuper de cela, docteur, et dès ce matin Jacques aura près de lui cette jeune fille.

Comme, après avoir quitté le médecin, Christian et son ami traversaient le vestibule, le Suédois demanda :

— Tu as prononcé tout à l'heure le nom de Mitsi... Je me souviens d'une petite fille qui se trouvait ici autrefois, et qui portait ce nom. Elle avait une physionomie charmante, des yeux admirables...

— Qui le sont aujourd'hui plus que jamais. Mitsi est une créature ravissante, mon cher ami... et je t'avoue qu'elle me plaît infiniment.

— Quelle situation occupe-t-elle ici ?

— Elle est la bonne de mon fils — c'est-à-dire la servante de la gouvernante. Si tu la voyais, tu jugerais comme moi qu'elle n'est pas faite pour ce rôle — bien loin de là. Tout en elle est finesse, distinction, grâce délicate. Mais je réparerai les injustices du sort — et les erreurs de ma grand-mère.

Sur ces mots, accompagnés d'un sourire de légère raillerie, Christian prit congé de son ami et gagna son appartement. Là, il donna l'ordre d'aller prévenir Léonie qu'elle vînt lui parler.

Quand la femme de charge entra dans le cabinet de travail qui ouvrait ses trois fenêtres sur la terrasse, M. de Tarlay, assis près de son bureau, allumait une cigarette. Tandis que Léonie s'inclinait aussi profondément que le lui permettait son embonpoint, il demanda :

— Est-il exact que Mitsi a été retirée du service de M. Jacques ?

— C'est exact, monsieur le vicomte. Mme la présidente a jugé qu'étant très habile lingère, elle serait plus utile dans cet emploi...

— Et pour cela, on l'enlève du jour au lendemain à un enfant malade, qu'elle a soigné avec un grand dévouement ?... Eh bien, voici mes ordres : Mitsi va revenir près de mon fils, non pas demain, non pas cet après-midi, mais à l'instant même, et elle y restera... tant que je ne donnerai pas d'ordres contraires.

Léonie balbutia :

— Bien, monsieur le vicomte.

Et sur un signe qui la congédiait, elle sortit, cachant sous un air d'humble respect sa stupéfaction et sa fureur.

Christian se leva, sortit sur la terrasse et demeura un instant immobile, la cigarette entre les lèvres. Devant lui, entre les deux ailes, le parterre étendait ses arabesques fleuries. Au centre jaillissait une gerbe d'eau retombant dans un bassin de marbre. Le soleil, déjà brûlant, inondait le bâtiment central du château et commençait de gagner l'aile droite... Là, sur la terrasse, venait d'apparaître Florine. Elle était vêtue d'une robe blanche en étoffe légère, élégamment garnie de rubans roses. L'excellente vue de Christian discernait fort bien ces détails et surprit le coup d'œil jeté vers lui, aussitôt suivi d'un lent va-et-vient sur la terrasse.

— Pour que je puisse vous admirer, belle Florine, murmura M. de Tarlay avec un rire étouffé.

Pendant un moment, il suivit d'un regard chargé de méprisante ironie la blanche silhouette. Puis, jetant sa cigarette, il longea la terrasse jusqu'à l'une des portes-fenêtres de la chambre de Jacques.

Christian poussa cette porte entrouverte et entra dans la grande pièce claire.

Le petit garçon eut un éclair joyeux dans ses yeux fatigués.

— Papa ! murmura-t-il.

— Je viens te guérir, Jacques, dit M. de Tarlay en

s'approchant du lit. Tout à l'heure, tu vas revoir ta Mitsi, et personne ne la fera plus partir d'auprès de toi sans ma permission.

Un cri de bonheur s'échappa des lèvres de l'enfant :

— Oh ! papa !

— Tu es content ?

— Oh ! content !... content ! Je l'aime tant, Mitsi !... Merci, papa !

D'un geste timide, il tendait vers Christian ses petits bras maigres. M. de Tarlay se pencha et l'embrassa peut-être avec un peu plus d'affection qu'il n'en avait de coutume.

— Allons, je pense que tu vas guérir vite maintenant ? Voilà des bras qu'il faudra rendre plus forts que cela, mon petit... Au revoir, sois bien sage ; je reviendrai te voir un de ces jours.

Il sortit, laissant Jacques dans le ravissement, car jamais le pauvre petit n'avait reçu tant de preuves d'intérêt de ce père insouciant qu'il aimait avec toute l'ardeur de son cœur enfantin.

7

Deux jours plus tard, Jacques était entièrement remis de cette alerte — si bien que le Dr Leroux prescrivait de lui faire faire quelques pas dans les jardins, au cours de l'après-midi.

— Et de longues stations à l'air, des promenades en voiture, ajouta-t-il. Rien ne vaudra mieux pour le fortifier.

En conséquence, dès le lendemain, une victoria emmena l'enfant et Dorothy vers la forêt, qui commençait à peu de distance du château et, ainsi que presque tout le pays, appartenait à M. de Tarlay.

Au retour, Jacques fut installé dans un endroit bien abrité du parc, sous un berceau de roses, et ce fut Mitsi qui prit la garde près de lui, tandis que l'Anglaise allait lire ou travailler dans sa chambre.

La jeune fille, sans entrain, s'occupait à un ouvrage de tricot. Un malaise pesait sur elle, depuis l'instant où Léonie, dissimulant mal sa rage, était venue lui dire :

— M. le vicomte veut que vous restiez près de M. Jacques. C'est curieux comme ça lui prend tout d'un coup de s'occuper de son fils !... Vous ne trouvez pas cela bizarre, vous, Mitsi ?

Elle ricanait, en couvrant la jeune fille d'un regard mauvais. Mitsi n'avait pu s'empêcher de rougir, tout en répliquant avec froideur :

— Je trouve cela très naturel de sa part, au contraire.

L'autre avait ricané plus fort, en lui lançant ce mot : « Farceuse » et elle l'avait quittée en levant les épaules.

A l'office, les domestiques riaient entre eux en la regardant, et Théodore, le valet qui avait commencé de la courtiser effrontément à Paris, avait murmuré avec colère, en passant près d'elle :

— Ah ! c'est des grands seigneurs qu'il vous faut, à vous ! Voilà pourquoi on fait la renchérie avec les autres.

Des conversations entendues à l'office, pendant son séjour à Paris, avaient appris à Mitsi que les plus difficiles conquêtes n'étaient qu'un jeu pour M. de Tarlay, dès qu'il lui plaisait de les entreprendre. Ainsi donc, il devait supposer que cette humble petite Mitsi, élevée par charité, mise au service de la gouvernante de son fils, serait éblouie, grisée aussitôt en voyant qu'il lui faisait le très grand honneur d'arrêter son attention sur elle.

Pauvre Mitsi qui, du sûr asile de son couvent, se trouvait jetée en pleine fournaise ! L'angoisse augmentait en son âme, à mesure que son innocence, jusqu'alors presque ignorante de la vie, commençait de comprendre les pièges qui se présentaient à elle. Qui donc la défendrait, si elle était menacée? La présidente? M. Parceuil? Ils demeuraient pour elle des êtres lointains, inaccessibles — et hostiles, elle en avait toujours eu l'intuition. D'ailleurs, aucun d'eux n'oserait s'élever contre le bon plaisir de M. de Tarlay, bien certainement. Que leur importeraient le déshonneur, le désespoir d'une pauvre petite créature méprisée, dont la présidente avait d'ailleurs prédit depuis longtemps la déchéance? Car Mitsi se souvenait des paroles prononcées jadis devant elle, et qui, stigmatisant l'ignominie de la mère, jetaient sur l'enfant l'injurieux anathème qui semblait la vouer au vice.

Sa mère, la danseuse!... Un jour, peu de temps après son arrivée au pensionnat de Sainte-Clotilde, Mitsi et ses compagnes, en revenant de promenade, étaient passées devant une baraque foraine installée sur la place du bourg. Une jeune femme, sur les tréteaux, esquissait des pas, minaudait, envoyait au public le sourire de ses lèvres peintes. Elle était vêtue d'un maillot de soie rose fané, d'une très courte jupe de tulle, et coiffée de cheveux d'un blond jaunâtre, ornés de peignes en clinquant. La fillette qui se trouvait près de Mitsi avait dit au passage, en poussant le coude de sa compagne :

— Ça doit être très amusant, dis, de danser comme ça!... Moi, quand je serai grande, je me ferai danseuse !

Mitsi n'avait rien répliqué. En son âme enfantine, une douloureuse clarté venait de s'introduire. Cette femme peinte, fardée, à peine vêtue, qui s'offrait en spectacle à la foule, c'était une danseuse... Alors, sa mère...

Bien des fois, par la suite, cette pensée avait tourmenté la pauvre enfant. Et depuis qu'elle réfléchissait davantage, elle s'était demandé souvent avec angoisse : « A-t-on vraiment le droit de mépriser ma mère ? »

Si elle savait bien peu de chose de cette mère si tôt disparue, Mitsi ignorait tout de son père. Là existait pour elle l'ombre complète, un mystère absolu. Et celui-ci, qui l'avait peu préoccupée en son enfance, commençait maintenant de l'intriguer douloureusement.

Elle s'absorbait dans ses pénibles pensées, tandis que ses doigts maniaient distraitement les aiguilles. Assis dans son petit fauteuil roulant garni de coussins, Jacques jouait avec un polichinelle. Il eut tout à coup un petit soupir de satisfaction et annonça de sa voix un peu lente :

— Voilà papa, avec son ami, M. Olaüs.

Mitsi tressaillit légèrement et un peu de rougeur monta à son visage pâli par les soucis qui la tourmentaient depuis quelques jours.

M. de Tarlay et Olaüs Svengred s'avançaient en effet dans l'allée conduisant au berceau de roses. Déjà, Mitsi sentait sur elle le regard qu'elle redoutait... Par un effort de volonté, elle domina son émoi et se leva, en subalterne bien apprise.

Une voix impérieuse et gaie s'éleva, ordonnant :

— Restez assise, ma petite Mitsi. Je ne veux pas que vous vous considériez comme une servante, bien qu'on ait eu l'idée baroque de vous en donner le costume, avec lequel d'ailleurs vous n'êtes pas moins charmante.

A ces paroles, et sous le regard qui les accompagnait, Mitsi sentit que le sang affluait à son visage. Elle s'assit machinalement, tandis que Christian s'approchait de son fils et lui caressait la joue en disant :

— Eh bien ! te voilà remis de ta grosse émotion, mon petit ?

Olaüs, lui, se pencha pour embrasser l'enfant. Il avait auparavant respectueusement salué Mitsi et, quand il eut pris place sur le fauteuil de rotin que lui désignait M. de Tarlay, ses yeux bleus, doux et sérieux, s'attachèrent sur la jeune fille avec une expression où l'intérêt, l'admiration se mêlaient de tristesse, d'une sorte de pitié.

Christian s'était assis sur le banc, près de Mitsi. Il s'empara du tricot qu'elle avait laissé tomber sur ses genoux et demanda :

— Que faites-vous là, jeune travailleuse ?... Un gilet, ce me semble ?

— Oui, monsieur, un gilet pour les vieillards de l'asile Saint-Joseph.

— L'asile dont ma grand-mère est dame patron-nesse... C'est elle, sans doute, qui vous a chargée de ce travail ?

— C'est Mme Léonie, par son ordre, je le suppose.

Christian eut un sourire moqueur :

— Oui, il y aura grande fête à l'asile, grande dis-tribution d'objets divers, à la fin de notre séjour ici. On exaltera la généreuse bienfaitrice qui, en dépit de ses nombreux loisirs, n'aura pas trouvé le moyen de confectionner elle-même un seul de ces vêtements. Mais c'est la charité mondaine, cela, et jusqu'ici, dans mon entourage, je n'en ai guère connu d'autre.

Olaüs Svengred fit observer :

— Si, mon cher ami, tu as connu celle de ta femme.

— Oui, c'est vrai, Gisèle était réellement, sérieu-sement charitable. Elle savait donner de sa personne et faire le bien discrètement, sans fla-fla, sans dis-tributions solennelles, discours, louanges et dithy-rambes. Pauvre Gisèle, elle m'a laissé une liste de ses pauvres, avec prière de leur continuer quelques secours après sa mort.

Dans la voix de Christian, mordante tout à l'heure,

passait une émotion légère. Mitsi, à cet instant, évoqua le visage sans beauté de la comtesse Wanzel, ses yeux très doux qui s'étaient arrêtés avec bienveillance sur la petite étrangère que tous, à Rivalles, dédaignaient ou méprisaient. Elle savait, par Marthe, que la jeune femme était en effet bonne et charmante, dépourvue de cette morgue, de ces exigences vaniteuses qui rendaient si déplaisante pour ses inférieurs la présidente Debrennes. Fort amoureuse de son mari, elle avait paru très heureuse, pendant sa courte union. Quant à M. de Tarlay, si, comme on le supposait, il ne répondait qu'imparfaitement à des sentiments aussi ardents, nul n'avait jamais pu méconnaître qu'il fût un époux courtois, sachant entourer sa femme d'attentions discrètes et rendant fréquemment justice à ses grandes qualités de cœur — ainsi qu'il venait de le faire encore à ce moment même.

Néanmoins, son veuvage ne lui avait guère pesé, disait-on. Après quelques semaines de solitude dans un de ses domaines du Nord, il était parti pour un voyage en Algérie, d'où il était revenu plein d'entrain, de séduction, et plus mondain que jamais. La douce et amoureuse Gisèle paraissait tout à fait oubliée, et l'enfant qu'elle avait donné à Christian demeurait incapable de faire vibrer ce cœur glacé par l'égoïsme et les adulations.

M. de Tarlay, après un instant de silence pendant lequel il considéra avec le plus vif intérêt le délicat profil de Mitsi, se pencha vers la jeune fille, presque jusqu'à toucher de ses boucles brunes le petit bonnet de mousseline.

— Chantez-nous quelque chose, pour que mon ami juge de la beauté de votre voix.

La rougeur se fit brûlante, sur le visage charmant. Mitsi balbutia :

— Je ne pourrais pas, monsieur...

Christian répéta d'un ton moqueur :

— « Je ne pourrais pas, monsieur »... Est-ce donc que nous vous faisons peur, mon joli petit rossignol ?

Ses yeux souriants, ironiques, et dégageant de chaudes caresses, cherchaient les yeux de Mitsi, qui essayaient de se dérober sous leurs paupières frémissantes. Et ce regard de pauvre petit oiseau inquiet, apeuré, fuyant la fascination, amenait un sourire amusé, un peu railleur, sur les lèvres de Christian.

Svengred, dont le front se plissait, dit avec quelque vivacité :

— Ne tourmente pas Mlle Mitsi, mon cher ami. Je comprends fort bien qu'il lui paraisse difficile de chanter ainsi devant des étrangers.

Jacques intervint, d'un petit ton impératif :

— Mitsi, chante rien que pour moi !

M. de Tarlay se mit à rire :

— Ah ! tu crois cela, mon garçon ? Peste, tu n'es pas peu gourmand ! Une voix pareille, qui ferait courir tout Paris et toute l'Europe ! Non, non, nous la ferons entendre à d'autres... et nous en jouirons nous-mêmes, quand vous serez un peu apprivoisée, Mitsi.

Il se leva d'un mouvement souple et nonchalant, en ajoutant :

— Allons, Olaüs, il faut aller faire acte de présence au thé de ma grand-mère. Pourtant ce berceau de roses est délicieux, et je m'y attarderais volontiers.

Son sourire, son regard dirigé vers Mitsi disaient clairement la raison de cet attrait... Après un baiser distrait à son fils, un amical signe de tête à l'intention de la jeune fille, il s'éloigna en compagnie du Suédois, qui avait adressé à Mitsi le même respectueux salut qu'à l'arrivée.

Au tournant de l'allée, Christian demanda gaiement :

— Que dis-tu de cette petite merveille, mon cher ?

Ravissante, n'est-ce pas?... J'en suis déjà positivement amoureux, en vérité !

Olaüs Svengred tourna vers son ami un regard sérieux, presque sévère :

— Je veux croire que tu réfléchiras avant de commettre cette mauvaise action, Christian. Car ce serait odieux de profiter de l'isolement, du malheur de cette enfant, pour en faire une victime de ton caprice.

Svengred était le seul être dont M. de Tarlay acceptât parfois quelques critiques. Mais cette fois, il fronça les sourcils, en ripostant avec une sécheresse ironique :

— Voilà encore de tes grands mots, Caton le censeur ! Une mauvaise action ! Rien que ça !... Parce que j'aurai donné à cette jolie Mitsi le moyen de sortir de la situation misérable où l'ont mise ma grand-mère et Parceuil ! Mais, mon bon, réfléchis donc qu'elle est fatalement destinée à cela. Sa mère était ballerine dans quelque théâtre viennois de troisième ordre, et, d'après les renseignements obtenus à son sujet par Parceuil, elle se classait parmi les moins recommandables de la corporation, Mitsi est sans famille, sans un sou vaillant — et elle possède un charme, une beauté capables de rendre fou qui elle voudra. L'atavisme aidant, elle tombera un jour ou l'autre... et dès lors, qu'importe que le tentateur soit moi ou un autre ?

Svengred s'écria vivement :

— Voilà de singulières théories ! Quoi ! parce que cette pauvre enfant est fille d'une créature dévoyée — peut-être entraînée au mal non par perversion foncière, mais par les dangereux écueils de sa profession — tu la condamnes sans rémission au même sort ? Que fais-tu donc de l'influence d'une éducation chrétienne sur cette âme, en admettant qu'il y ait en elle quelque fatal legs moral ? Je regardais tout à l'heure la pauvre enfant, et je remarquais combien, sous le trouble et la gêne que lui causait ton attention trop admirative, son regard restait pur, candide, reflétant, semblait-il, une âme délicate et sans ombre.

Christian eut un éclat de rire légèrement sarcastique en jetant un coup d'œil narquois sur son ami, dont la physionomie, généralement calme, s'était un peu animée.

— Je vois que tu l'as bien examinée, cette charmante Mitsi !... Et tu en es déjà amoureux, toi aussi, ô sévère Olaüs !

Un peu de rougeur colora le teint du Suédois — ce teint trop blanc, trop diaphane, qui décelait une santé fragile. Avec un léger mouvement d'épaules, Svengred répliqua :

— L'amour, si je l'éprouve jamais, sera chez moi autre chose que ce que tu appelles de ce nom. Mais cette enfant isolée, menacée, m'a profondément touché. Je voudrais la sauver du triste sort que tu lui prépares...

— Le triste sort ! Ah ! mon pauvre Olaüs, tu as encore des illusions sur les femmes, toi ! Mais je les connais assez pour affirmer que Mitsi, enlevée par moi à sa situation actuelle et comblée de tout ce que peut désirer un cerveau féminin, aura vite fait d'oublier les quelques scrupules qu'elle peut encore conserver aujourd'hui !

Svengred secoua la tête :

— Je n'en suis pas sûr du tout.

— Nous verrons !... Et sais-tu, mon cher ?... Eh bien, je te promets, si elle me résiste sérieusement — car il y a des résistances qui ne sont que comédie — je te promets, dis-je, de la laisser en repos, cette Mitsi pour laquelle tu parais avoir tant d'inquiétude.

Olaüs, jetant un regard sur la physionomie railleuse de son ami, sur ces yeux superbes qui étincelaient d'ironie et de défi amusé, murmura avec quelque amertume :

— Oui, oui, tu connais ton pouvoir, ensorceleur ! Pauvre petite créature, seule, malheureuse, elle t'aimera... et tu t'amuseras quelque temps de cet amour, pour le fouler aux pieds ensuite. Ah ! Christian, tu n'as donc pas de cœur, pour agir ainsi ?

M. de Tarlay eut un sourire d'ironie et ne répondit pas. A ce moment, d'une allée voisine, surgissaient Florine, M. de Montrec et Ludovic Nautier, le peintre ami de Christian. Les deux groupes fusionnèrent et prirent ensemble le chemin du château, où la présidente offrait aujourd'hui à quelques châtelains du voisinage un thé intime. Christian se montra particulièrement gai, cet après-midi-là, et toute la soirée; mais Svengred conserva un pli profond sur son front élevé, une ombre de tristesse dans ses yeux bleus et, plus d'une fois, il ne put s'empêcher de diriger vers son ami un regard de douloureuse indignation.

8

Dans l'après-midi du lendemain, tandis que Mitsi habillait Jacques pour la promenade, Léonie vint l'informer que d'après les ordres de M. le vicomte, elle aurait désormais sa chambre dans l'appartement de M. Jacques, comme Dorothy, et prendrait ses repas seule avec la gouvernante. En un mot, elle n'aurait plus de rapports avec le personnel domestique. En outre, elle devrait quitter sa tenue de servante et serait traitée sur le même pied que Dorothy.

Cette communication ne fut accompagnée d'aucun

commentaire. Non, certes, que ceux-ci ne fussent prêts à jaillir des lèvres de Léonie, que la rage étouffait ! Mais la femme de charge était une prudente personne, qui savait contenir ses inimitiés dès que son intérêt le lui commandait. Tant que cette péronnelle de Mitsi serait en faveur près de M. de Tarlay, il conviendrait de mettre une sourdine aux manifestations hostiles qui risqueraient de provoquer le mécontentement du maître. Mais dès que la fantaisie de celui-ci aurait pris fin, et ce serait vite fait, car on le disait très fantasque, avec quelle joie Léonie laisserait enfin déborder sa haine et accablerait de son mépris la misérable petite créature dont la fière dignité l'exaspérait !

Mme Debrennes et Florine, quand elles apprirent la décision de Christian, ne furent pas moins irritées que la femme de charge, Mlle Dubalde par jalousie, la présidente pour d'autres motifs qu'elle exposa le lendemain matin à Parceuil, mandé en son appartement :

— C'est un danger, cela, mon cher ami, un réel danger. Voyez-vous que Christian, épris de cette petite, cherche à obtenir des précisions sur son origine ?...

Parceuil, dont la physionomie s'était un moment assombrie, répliqua après un moment de réflexion :

— Non, rien à craindre de ce côté. Tout d'abord, il n'y a pas lieu de supposer que Christian, tel que nous le connaissons, aura jamais souci de faire des recherches à ce sujet. La jeune personne lui plaît, il contentera son caprice, sans s'inquiéter le moins du monde si les prétentions d'Ilka Vrodno étaient légitimes ou non. De cela, vous pouvez être certaine, ma chère Eugénie !... Mais en admettant un instant cette préoccupation invraisemblable de sa part, à quoi aboutirait-il ? Comment, dans une ville comme

94

Vienne, trouver la preuve d'un fait dont il n'existe qu'un témoin, perdu dans la foule anonyme ? Comment, dans toute l'Autriche, trouver le lieu inconnu, caché dans les bois, où cette preuve irrécusable existe ?

— Avec de l'or, on peut beaucoup. Mais enfin, je pense comme vous qu'étant donné le caractère de Christian, l'éventualité d'une telle recherche est bien peu à craindre.

Ils gardèrent un moment le silence, tous deux songeurs. Puis la présidente dit à mi-voix :

— Quel dommage, Flavien, que vous n'ayez pas réussi, dans votre expédition à Laitzen !

Parceuil, le front plissé, marmotta avec colère :

— Oui, ce maudit curé m'a dérangé au bon moment... Et ne j'ai plus osé recommencer. Ah ! nous aurions eu pleine et entière tranquillité, alors !... Mais je le répète, il n'y a aucune raison de s'inquiéter, en l'occurrence. Néanmoins, je me permets de vous faire remarquer, Eugénie, l'imprudence commise par vous en mettant cette jeune fille sous les yeux de Christian. Je ne l'ai pas vue encore; mais d'après ce que vous m'en avez appris, elle est extrêmement séduisante...

La présidente dit avec un soupir de regret :

— Hélas ! oui ! Tellement séduisante que bien peu de femmes, à mon avis, pourraient soutenir la comparaison avec elle. Je suis désolée de ce qui arrive, mon cher Flavien !... positivement désolée ! Mais les visites de Christian à son fils étaient si rares, et l'enfant mène une existence tellement à l'écart, que je ne prévoyais aucun péril de ce côté.

— Il suffit d'une fois... Enfin, il n'y a rien à tenter maintenant. Impossible de faire intervenir mon autorité de tuteur, pour envoyer hors d'ici la jeune personne. Christian me ferait payer cher une pareille intervention.

— Oh! je crois bien! Pas plus que je puis me permettre un mot de blâme... Fort heureusement, il a du tact et saura éviter tout scandale. Mais c'est égal, quand elle ne l'intéressera plus, cette petite peste me payera les ennuis qu'elle me donne et la désinvolture froissante avec laquelle agit en ce moment Christian !

La colère, une sorte de haine vibraient dans l'accent de la présidente. Parceuil eut un sourire mauvais en répliquant d'un ton bas :

— Je trouverai un moyen de nous en débarrasser, ma bonne Eugénie.

Elle tressaillit, en lui jetant un regard inquiet :

— Rien de dangereux, Flavien ?

Il rit sourdement :

— Croyez-vous que je voudrais risquer ma situation ?... Non, non, rien de dangereux. D'ailleurs, je n'ai aucun plan précis pour le moment. Il suffira de m'inspirer des événements. Dormez donc sans crainte, Eugénie... et consolez Florine, qui voit toutes ses coquetteries demeurer inutiles.

Mme Debrennes porta à ses paupières son mouchoir parfumé en soupirant :

— Ah! ma pauvre Florine !... Une femme si charmante !

— Elle se fane, ma chère... elle se fane. Impossible de lutter avec la jeunesse de Mitsi et de bien d'autres. Il lui faut s'y résigner, jamais elle ne sera vicomtesse de Tarlay.

— Hélas! elle est de plus en plus amoureuse de Christian !

— C'est une maladie dont elle se guérira difficilement, je le crains... A ce soir, ma bonne amie. Je pars pour les forges, où l'on m'attend pour l'expérimentation d'une nouvelle machine.

— Christian y va-t-il quelquefois ?

— Jeudi dernier, il est venu, a tout examiné, s'est

fait faire un rapport par l'ingénieur principal... Oh ! il est très fort... très fort... et s'il voulait...

Un pli se formait sur le front jauni de Parceuil... Puis, avec un léger mouvement d'épaules, le vieillard ajouta avec un petit rire sarcastique :

— Mais il a de plus agréables occupations et trouve parfait de me laisser toute la direction. Et, vraiment, avec sa fortune, avec son nom, il a en effet mieux à faire que cela !

Avec vivacité, la présidente approuva :

— Certes, certes ! Vous le remplacez d'ailleurs admirablement, mon bon Flavien !

Mitsi avait accueilli sans joie, et même avec un petit tremblement intérieur, les instructions de M. de Tarlay à son sujet, qui lui étaient communiquées par Léonie. L'intérêt trop significatif dont elle était l'objet l'effrayait de plus en plus. Mais comment s'y soustraire ? Vainement, elle en cherchait le moyen... Elle se sentait, dans cette somptueuse demeure, complètement isolée, sans défense. Marthe, la lingère, était la seule personne qui lui témoignât de la sympathie. Mais la pauvre fille ne pouvait rien pour elle — d'autant moins qu'elle-même ne se trouvait pas dans les bonnes grâces de Léonie et tremblait chaque jour d'être renvoyée par l'omnipotente femme de charge... D'ailleurs Mitsi, presque constamment occupée près de Jacques depuis son arrivée à Rivalles, l'avait très peu vue, pendant de courts instants quand, un dimanche, deux jours après le changement survenu dans sa nouvelle situation, elle la rencontra au retour d'une promenade qu'elle faisait faire à l'enfant aux alentours du château, dans son fauteuil roulant.

La mine altérée, les yeux rouges de la lingère la frappèrent aussitôt.

— Qu'avez-vous, ma bonne Marthe?... Est-il arrivé quelque chose chez vous?

— Hélas, oui! Mes frères ont été renvoyés hier soir des forges, sans motif, simplement parce que le contremaître veut les remplacer par deux de ses créatures. Et cet homme est lui-même un protégé de M. Parceuil, qu'il flatte à outrance.

Marthe essuya ses yeux pleins de larmes, en ajoutant:

— Il va falloir qu'ils partent d'ici, car en dehors des forges, on ne trouve pas de travail dans le pays. Et ma pauvre maman est si mal portante!... Pour comble de malheur, le petit Simon, l'aîné de mes neveux, vient de tomber malade. Il va falloir payer le médecin et les médicaments, puisque nous n'avons plus droit aux soins gratuits donnés aux ouvriers des forges... Ah! quelle misère!

La pauvre fille sanglotait. Mitsi essaya de la consoler, de la réconforter... Le petit Jacques les considérait attentivement, de ses beaux yeux sérieux et pensifs. Il dit tout à coup:

— Il faut demander à papa de les reprendre, vos frères. C'est lui qui est le maître... Et le cousin Parceuil est un méchant.

Mitsi se pencha, en passant un doigt caressant sur la joue pâle de l'enfant:

— Ne parlez pas ainsi de M. Parceuil, qui est un vieillard et votre parent, mon petit Jacques.

Mais il secoua la tête, en répétant:

— C'est un méchant! Mitsi, tu demanderas à papa de garder les frères de Marthe, dis, pour qu'elle ne pleure plus?

Les deux jeunes filles échangèrent un regard ému. Pauvre petit Jacques, si peu gâté par les siens, il était bon, pitoyable pour autrui... Mitsi l'embrassa en disant tendrement:

— Votre papa ne s'occupe pas de ces détails, mon

chéri. Il laisse M. Parceuil diriger tout à son gré, là-bas.

Mais l'enfant répéta, obstinément :

— Il faut lui demander... C'est le maître, papa.

En continuant de pousser la voiture, Mitsi reprit sa route vers le château, en compagnie de Marthe qui étouffait ses sanglots. Elles entrèrent dans le parc en passant par une petite porte qui restait ouverte dans la journée, et gagnèrent lentement le château en traversant les jardins. Ainsi, elles atteignirent l'extrémité de l'aile où se trouvait l'appartement de Jacques.

L'enfant s'écria joyeusement :

— Voilà papa !

Christian se trouvait en effet sur la petite terrasse qui précédait le salon où se tenait habituellement son fils. Accoudé à la balustrade de marbre rose, une cigarette entre les lèvres, il regardait s'avancer le groupe formé par Mitsi, Marthe et le petit Jacques dans sa voiture.

La lingère, alors, voulut prendre congé de sa compagne. Mais Jacques étendit vers elle sa main maigre, en disant :

— Non, non, attendez, Marthe !

Et en élevant la voix, il appela :

— Papa... papa, je voudrais bien vous demander quelque chose !

Christian sourit, en répondant :

— Viens me dire ce que tu souhaites, mon petit Jacques.

Mitsi, instinctivement, avait ralenti l'allure du fauteuil roulant. Mais Jacques dit, d'un petit ton impérieux :

— Pousse vite ma voiture, Mitsi, pour que je parle à papa.

M. de Tarlay s'était redressé, puis, jetant sa cigarette à demi consumée, il descendait les degrés de marbre, au bas desquels Mitsi arrêtait le fauteuil. Il enleva entre ses bras le petit corps maigre, si léger, et demanda gaiement :

— Eh bien, qu'y a-t-il, Jacques ?

Le petit garçon étendit la main vers Marthe qui, embarrassée, très rouge, demeurait en arrière.

— Papa, elle pleure parce que le cousin Parceuil a renvoyé ses frères des forges... et elle a sa grand-mère malade, et puis un petit neveu et pas d'argent pour les soigner. Alors, je lui ai dit que c'était vous le maître et qu'il fallait qu'elle vous demande de reprendre ses frères. Mais Mitsi a répondu que vous ne vous occupiez pas de ces choses-là...

— En effet. Mais à l'occasion, s'il me plaisait de le faire...

Son regard s'arrêtait un instant avec une souriante complaisance sur Mitsi, qui se tenait toute raidie, les paupières baissées, près du fauteuil de l'enfant; puis il effleura le visage rouge et altéré de Marthe. Celle-ci était une inconnue pour M. de Tarlay, comme plusieurs des nombreux serviteurs qui constituaient le personnel employé à son service et à celui de son entourage. Aussi s'informa-t-il à son sujet, en s'adressant à Mitsi, qui dut cette fois lever les yeux pour lui répondre. Elle fit, en quelques mots, un chaleureux éloge de celle qui était sa seule amie en cette demeure. Jacques, dont la tête s'appuyait contre l'épaule de son père, regardait celui-ci d'un air suppliant... Christian se mit à rire en disant :

— Eh bien, pour contenter Mitsi et toi, mon petit Jacques, je ferai réintégrer dans leur emploi les frères de cette jeune personne. Donnez-moi leurs noms, Marthe, et dès ce soir, je m'occuperai d'eux.

Interrompant du geste les remerciements balbutiés par la lingère, il remonta les degrés de la terrasse, avec Jacques entre ses bras. Timidement, l'enfant appuya ses lèvres contre la joue paternelle, en murmurant :

— Merci, papa !

Le regard de Christian, adouci par une nuance d'émotion, s'abaissa vers le pâle petit visage :

— Tu as bien fait de me signaler cela, mon cher enfant. Je déteste l'injustice, et au cas où il y en aurait ici, je veux qu'elle soit réparée.

Il se tourna vers Mitsi qui montait à son tour, après avoir chaleureusement serré la main de Marthe ébahie, n'osant en croire ses oreilles :

— Car ces garçons ont été renvoyés sans motif sérieux, d'après le peu que vous m'en avez dit ?

— Marthe l'assure, monsieur. D'ailleurs ses frères sont, depuis leur adolescence, employés aux forges; il serait facile d'être renseigné sur eux.

— Très facile. J'aurai demain toutes les précisions nécessaires pour donner aussitôt mes ordres à leur sujet.

Il étendit l'enfant sur la chaise longue disposée sur la terrasse et fit quelques pas de long en large. Puis il s'arrêta près de la jeune fille qui arrangeait un coussin sous la tête de Jacques :

— Pourquoi avez-vous encore ce costume, Mitsi ?

— Mme Léonie n'a pas encore eu le temps de m'en procurer un autre, monsieur.

— Qu'elle le fasse promptement, dites-le-lui de ma part. Je veux que vous ayez une situation plus conforme à la justice, car enfin, bien que de façon irrégulière, vous êtes la fille du cousin germain de mon père, Georges Douvres.

Mitsi eut un vif mouvement de stupéfaction, en regardant M. de Tarlay avec un véritable ahurissement.

— Personne ne vous avait informée de cela ?... Votre mère prétendait même, paraît-il, que Georges et elle avaient été unis légitimement. Mais on n'a pu trouver aucune preuve de cette assertion.

Mitsi restait sans parole... Enfin, le voile du mystère s'écartait ! Elle savait le nom de son père... elle savait qu'elle était — irrégulièrement, hélas ! — la petite-fille de Jacques Douvres, la cousine du vicomte de Tarlay.

Christian suivait d'un œil intéressé les impressions visibles sur son expressive physionomie. En se penchant vers elle, il dit à mi-voix, avec une intonation caressante :

— Ma jolie petite Mitsi, je réparerai l'injustice dont vous êtes l'objet. Ne vous faites pas désormais de souci, car vous êtes sous ma protection.

Elle recula un peu, et ses yeux se baissèrent, à la fois éblouis et pleins d'angoisse, sous le regard amoureux et volontaire qui disait hardiment et clairement : « Tu es à moi ».

Dominant son violent émoi, elle réussit à répliquer sans que sa voix tremblât trop :

— Il n'y a pas d'injustice, monsieur le vicomte. Du moment où la preuve d'une union légitime n'a pu être obtenue, la famille de mon père est excusable de ne pas m'accueillir parmi elle.

— Entre cela et la situation que l'on vous a faite, il existait des solutions intermédiaires que mon cousin Parceuil a eu grand tort de négliger. Mais je le répète, j'y remédierai sans tarder.

A cet instant, Dorothy apparut, au grand soulagement de Mitsi. Profitant de ce que M. de Tarlay adressait la parole à la gouvernante, la jeune fille s'éclipsa et gagna sa chambre, où elle demeura un long moment. Quand elle reparut sur la terrasse, Christian ne s'y trouvait plus. Mais presque aussitôt apparaissaient la présidente, Florine et Mme de Montrec, jeune femme très élégante et assez hautaine. M. de Montrec et Olaüs Svengred les accompagnaient. Mitsi se retira à l'écart, tandis que les trois dames entouraient Jacques, non sans jeter vers la jeune gouvernante des coups d'œil sans bienveillance. Mme de Montrec, par sa femme de chambre qui lui rapportait les bavardages de l'office, connaissait la nouvelle fantaisie du vicomte de Tarlay. La beauté de Mitsi, dûment constatée par elle, irritait sa jalousie de femme insignifiante, vaniteuse, désolée que Christian n'eût pour elle que de l'indifférence. Quant à Florine, la vue de cette rivale l'exaspérait. Tandis qu'elle dirigeait vers elle des regards sournoisement haineux, il lui venait l'envie féroce de déchirer avec ses ongles ce délicieux visage, d'aveugler à jamais ces yeux incomparables, de meurtrir ces lèvres charmantes dont le sourire devait avoir tant de séduction.

Sa colère jalouse augmenta encore en remarquant les coups d'œil fort intéressés que jetait vers Mitsi Thibaud de Montrec et les regards discrets, mais pleins de sympathie respectueuse, du Suédois. Un irrésistible désir d'humilier l'orpheline s'empara d'elle. En se penchant pour embrasser l'enfant, tandis que les deux autres dames se retiraient, Mlle Dubalde laissa tomber le mouchoir de dentelle qu'elle tenait à la main. Alors, se tournant à demi vers Mitsi, elle ordonna avec une intonation pleine d'insolence :

— Ramassez-moi cela.

Une vive rougeur couvrit le visage de Mitsi... Mais instantanément, Svengred s'avançait, ramassait le petit carré de batiste et le tendait à Florine. Puis, s'inclinant profondément dans la direction de Mitsi, il quitta la pièce, suivi de Thibaud qui, lui aussi, avait salué la jeune fille, avec plus de désinvolture toutefois.

Florine avait blêmi de rage. Tournant les talons elle sortit à son tour, dans un frou-frou de jupes soyeuses. Dorothy s'éloigna pour aller chercher une potion que devait prendre Jacques, et Mitsi se trouva seule avec l'enfant.

Il l'appela près de lui, appuya câlinement sa joue contre la sienne et murmura, d'une voix que la joie oppressait :

— Papa a été bon, dis, Mitsi ?... Tu vois que j'avais raison !

Elle inclina affirmativement la tête. Son cœur était trop lourd d'angoisse et de trouble pour qu'elle pût répondre autrement.

Jacques répéta, rêveusement :

— Papa a été bon pour Marthe... pour moi... pour toi aussi, ma chère Mitsi.

Et un instant après, il ajouta d'un air pensif :

— Quand papa te regarde, ses yeux ne sont plus les mêmes.

9

Pendant quelques jours, Mitsi eut le soulagement de ne pas revoir celui qu'elle redoutait. M. de Tarlay avait été appelé à Paris par une importante affaire... Sa grand-mère continuait de faire les honneurs de Rivalles aux hôtes qui s'y trouvaient. Elle essayait, vainement, de consoler Florine, que la jalousie rongeait. Il lui fallait en outre apaiser la vive contrariété que venait d'éprouver Parceuil, auquel, avant son départ, Christian avait intimé l'ordre de réintégrer dans leur emploi Vincent et Julien Rabier, les frères de Marthe.

— Il n'a rien voulu écouter de mes explications à leur sujet, racontait le vieillard que la colère faisait trembler. Ces garçons, déclarait-il, étaient honnêtes et travailleurs, il le savait de source certaine, et il n'entendait pas qu'on les privât sans motif de leur gagne-pain. Bref, il s'est montré fort sec et m'a dit même quelques mots assez désagréables... J'ai dû courber le front et lui obéir en reprenant ces deux individus. Mais je me demande en vain quelle mouche l'a piqué pour qu'il s'occupe ainsi de ces gens-là, lui, l'insouciance, l'égoïsme personnifiés.

Parceuil devait être assez promptement renseigné à ce sujet, car il avait dans le valet de chambre attaché à sa personne un agent d'espionnage très zélé, parce que grassement payé — le vieillard, parcimonieux en certain cas, ne regardant à rien dès qu'il s'agissait pour lui de se renseigner utilement, ou bien encore de satisfaire quelque haine, de réaliser quelque secrète vengeance.

Ledit valet, qui répondait au nom d'Isidore, lui apprit donc que le dimanche précédent, Mitsi, rentrant de promenade avec l'enfant, se trouvait en compagnie de Marthe, la lingère, sœur des deux ouvriers congédiés. Lui, Isidore, qui se promenait à ce moment-là dans les jardins, les avait fort bien vues, se dirigeant vers la partie des bâtiments où logeait l'héritier de Tarlay... Et il avait également constaté la présence de M. de Tarlay sur la terrasse, puis le colloque entre lui, l'enfant et Mitsi. Après quoi, Marthe s'était éloignée, avec une physionomie radieuse.

Parceuil, en entendant cela, assena un coup de poing sur une table placée près de lui :

— Ce serait donc cette Mitsi qui aurait intercédé en faveur de ces garçons?... Bien, bien, je m'en souviendrai !

Et tout bouillant de rage mal contenue, il s'en alla trouver la présidente qui achevait de s'habiller pour le dîner.

Florine était près d'elle, morne, dolente, s'éventant d'une main lasse... Mais elle sortit de sa torpeur en entendant Parceuil raconter à Mme Debrennes que, de toute évidence, Christian avait cédé à la prière de « cette intrigante, cette misérable fille de rien », en faisant réintégrer les frères de Marthe dans leur emploi.

— Ah ! dès la première fois que je l'ai revue, à Paris, dans la chambre de Jacques, j'ai eu l'intuition qu'elle était une créature dangereuse ! s'écria Mlle Dubalde. Oui, elle a certainement hérité des vices de sa mère et de son habileté pour prendre les hommes à ses filets...

Parceuil, qui arpentait d'un pas saccadé le salon de la présidente, dit entre ses dents :

— Oui, peut-être que si je l'avais vue, moi, je vous aurais dès le début signalé le danger... car enfin sa mère était une enchanteresse...

Il s'interrompit avec une sorte de rictus nerveux.

Florine demanda :

— Vous l'avez connue, la danseuse ?

— Oui.

Ce monosyllabe tomba, très bref, des lèvres sèches de Parceuil... La présidente expliqua :

— Flavien, sur la prière de M. Douvres, s'est rendu à Vienne après la mort de Georges et s'est occupé de savoir s'il existait quelque chose de véridique dans les prétentions de cette femme. Il a eu avec elle une courte entrevue, deux jours avant sa mort.

— Et elle était vraiment très jolie ?

— Oui... plus que jolie... N'est-ce pas, Flavien ?

Un geste d'assentiment lui répondit.

Elle poursuivit :

— Par charité, ce bon Flavien s'est occupé de l'enfant qui n'avait sans cela d'autre asile que l'Assistance publique... Oui, par pure charité, car enfin, rien ne nous prouvait qu'elle fût réellement la fille de Georges Douvres.

— Mais, en ce cas, sur quoi donc comptait cette femme pour faire reconnaître la soi-disant légitimité de son union?

Parceuil leva les épaules, en répliquant brusquement:

— Il n'y avait là que chantage, simplement. C'est classique, chez les personnes de cette espèce... Mais comme elle n'avait pas affaire à des naïfs, elle aurait perdu son temps, près de nous. Mais moi, qui me souviens des yeux de sa mère, je ne doute pas qu'elle soit en effet peu banale, mon intéressante pupille. Je vous dirai d'ailleurs bientôt mon jugement sur elle, car je compte demain faire sa connaissance.

Marthe, que Mitsi n'avait pas revue depuis le dimanche précédent, vint voir la jeune gouvernante dans la matinée du lendemain. Mitsi la reçut dans sa chambre, petite pièce confortable, voisine de celle de Dorothy... La lingère lui dit qu'elle venait de la part de ses frères, de sa mère et d'elle-même, la charger d'offrir leurs remerciements à M. Jacques, qui avait si gentiment intercédé près de son père pour les ouvriers congédiés.

Mitsi proposa:

— Venez les lui présenter vous-même, ma bonne Marthe. Il sera content de vous voir, le cher petit... Nous avons plusieurs fois parlé de vous, depuis dimanche, et il m'a demandé de le conduire un jour chez votre mère pour faire la connaissance de vos neveux. C'est un enfant charmant, plein de cœur, ce pauvre petit Jacques, et il est bien dommage qu'il soit si délaissé moralement par les siens.

Marthe fit observer:

— Son père avait cependant l'air assez affectueux pour lui, l'autre jour?

– Oui, un peu plus, en effet... Mais je le crois d'une nature fantasque, sur laquelle il ne faut guère compter.

Marthe enveloppa d'un coup d'œil discret et nuancé d'inquiétude la physionomie charmante, un peu troublée au seul souvenir évoqué par les paroles de la lingère... Celle-ci, par les gens de l'office, était au courant des bruits qui circulaient, relativement à l'intérêt dont Mitsi se trouvait l'objet de la part du maître. Mais alors que presque tous accusaient la jeune fille de coquetterie, d'intrigue, de perversité même, elle, courageusement — car le branle des calomnies était mené par Léonie et Adrienne, les deux plus importantes personnalités de l'office — avait défendu Mitsi, assurant qu'elle était incapable de rien faire pour être remarquée, et qu'elle serait même bien fâchée de l'être. Marthe était sincère en parlant ainsi... Mais elle se disait également avec anxiété : « Comment cette pauvre petite Mitsi résistera-t-elle à un homme tel que celui-là, qui, dit-on, est l'objet de tant de passions ? »

Elle la considérait pensivement, avec un mélange d'admiration et de pitié, tandis qu'un instant plus tard, toutes deux se trouvaient près du petit Jacques, qui avait accueilli joyeusement la lingère. Mitsi était vêtue d'une robe de lainage marron, très simple, qu'ornaient un col et des manchettes de toile blanche. Dans cette tenue presque austère, elle avait toujours ce même air de petite princesse déguisée; mais, cette fois, ce n'était plus en servante, car le bonnet avait disparu et l'on voyait les beaux cheveux noirs enroulés en une natte brillante, bouclant sur la nuque, sur les tempes, au-dessus des fines oreilles nacrées.

« Qu'elle est jolie, pauvre Mitsi !... qu'elle est jolie ! songeait Marthe avec une tristesse profonde. Jamais elle ne me l'a paru autant qu'aujourd'hui ! »

C'était aussi l'avis de Jacques qui déclara en embrassant câlinement la main de la jeune fille :

— J'aime mieux ma Mitsi comme ça qu'avec son bonnet.

L'enfant était assez en train ce matin et tourmenta Mitsi pour qu'elle promît de le conduire dans l'après-midi chez la mère de Marthe.

— Nous verrons ce qu'en dira Dorothy, mon chéri, répondit-elle. Peut-être vaudra-t-il mieux que nous en demandions la permission à votre papa ou à votre grand-mère.

— Papa n'est pas là... et je ne veux pas qu'on demande à grand-mère, dit l'enfant avec une petite moue de colère.

Comme Mitsi commençait une douce gronderie, un pas glissa sur le dallage de marbre, une grande silhouette apparut au seuil d'une porte-fenêtre.

Bien qu'elle ne l'eût pas revu depuis cinq ans, Mitsi reconnut aussitôt en ce vieillard toujours droit et de belle allure M. Flavien Parceuil.

Tandis que Marthe et elle se levaient, il s'avança vers l'enfant, dont le visage se renfrognait à sa vue.

— Bonjour, monsieur Jacquot... Eh ! tu n'as pas mauvaise mine, ce matin.

En parlant ainsi d'un ton de bonhomie affectée, il prenait dans sa main sèche le menton de Jacques.

Le petit garçon tourna brusquement la tête, en glissant vers le visiteur un coup d'œil hostile.

— Tu fais la mauvaise tête ?... Voilà un enfant bien élevé, en vérité ! Je ne puis en faire compliment à celles qui s'occupent de son éducation !

Parceuil se détournait pour considérer Mitsi, à qui jusqu'alors il tournait le dos. La jeune fille rougit sous le malveillant regard qui s'attachait à elle... Parceuil dit sèchement :

— Vous êtes sans doute cette fameuse Mitsi dont Jacques s'est si bien entiché ?

Elle répondit avec une tranquille dignité :

— Oui, monsieur, je suis Mitsi Vrodno.

— Ah ! Ah !... J'espère que vous ne nous ferez pas repentir, Mme la présidente et moi, de nous être occupés de vous, alors que nous pouvions très bien vous laisser à la misère, à l'abandon, seul avenir qui attendît une créature sans famille comme vous.

Mitsi pensa : « Je devrais le remercier... lui dire que je suis reconnaissante... Et je ne peux pas... je ne peux pas. Cet homme m'inspire une sorte de répulsion... il me semble qu'il est mon ennemi. »

Elle réussit pourtant à répliquer :

— Je ne l'oublierai pas, croyez-le, monsieur.

Il la couvrait d'un regard aigu, investigateur, qui lui donnait à la fois un malaise et une sourde irritation... Puis il fit observer d'un ton de narquoise malveillance, en désignant l'enfant qui continuait de détourner obstinément les yeux :

— Je vous conseille de donner des leçons de politesse à ce jeune monsieur. Je ne ferai pas compliment de lui à son père qui doit revenir cet après-midi.

Jacques eut un vif mouvement et, cette fois, regarda le vieillard.

— Papa revient ?... Que je suis content !... Et ça m'est égal, ce que vous lui direz.

Parceuil ricana :

— Charmant !... charmant !

Et, tournant les talons, il quitta la pièce sans daigner adresser à Mitsi le moindre signe de politesse.

Marthe s'était éclipsée dès son apparition. Mitsi se trouvait seule avec l'enfant. Elle dit sévèrement :

— M. Parceuil a bien raison, Jacques ; vous vous êtes très mal conduit à son égard.

Dans les yeux bleus de l'enfant passa un éclair

qui accentua encore leur ressemblance avec ceux de son père :

— Pourquoi vient-il ici?... Je le déteste !...

— Voulez-vous bien ne pas parler ainsi de ce parent que vous devez respecter, à cause de son âge !

Mais Jacques secoua ses boucles brunes en répétant avec colère :

— Je le déteste !... Je le déteste !...

Et saisissant la main de Mitsi, il y appliqua ses petites lèvres toujours un peu fiévreuses en murmurant :

— Toi, je t'aime bien !... Et papa aussi... Papa et toi... Il va revenir, Mitsi ! Je suis si content... et toi aussi, dis ?

Elle ne répondit pas. Sa main un peu tremblante se leva, caressa les cheveux de l'enfant... Contente? Seule, une solution lui paraissait possible : le retour au couvent où elle venait de passer cinq années. Là-bas, elle écrirait à celui qui était son tuteur pour lui exposer sa situation et lui demander de la laisser libre de gagner sa vie comme elle l'entendrait. Mais pour ce départ, qu'elle devrait garder secret, il lui fallait de l'argent, et elle n'en avait pas à sa disposition.

« Marthe pourra peut-être me prêter la somme nécessaire, songea-t-elle. Je la lui rendrai dès que j'aurai trouvé du travail, que mes bonnes sœurs réussiront sans doute à me procurer. »

Mais bien qu'un peu rassurée par cette idée, elle avait l'âme encore lourde d'angoisse tandis que vers le début de l'après-midi, elle s'en allait avec Jacques dans la victoria qui les emmenait en promenade. Sur le désir du petit garçon, auquel Dorothy n'avait rien trouvé à redire, ils se rendaient chez la mère de Marthe, dont l'humble logis était situé à une courte distance des forges... Là, ils s'attardèrent un peu,

Jacques prenant plaisir à voir le ravissement des enfants, devant les jouets à peine défraîchis qu'il avait apportés à leur intention. Son visage était presque rosé par le contentement, quand il remonta en voiture après avoir déclaré qu'il reviendrait, et qu'il apporterait « des choses très bonnes ». Pendant le retour, il s'assoupit un peu entre les bras de Mitsi... La jeune fille le considérait avec une émotion mêlée d'anxiété. Elle aimait ce pauvre enfant, si délaissé au milieu de l'opulence qui l'entourait. Au cas où elle serait obligée de quitter Rivalles, le chagrin qu'il en éprouverait ne serait-il pas fatal à ce frêle organisme ?

Comme la victoria, qui avançait au petit trot, atteignait presque la grille de la cour d'honneur, elle fut rejointe par un phaéton mené à grande allure. M. de Tarlay, qui conduisait, ralentit ses ardents trotteurs et, levant son chapeau, dit gaiement :

— Bonjour, Mitsi ! Bonjour, mon petit Jacques !... Tu m'as l'air bien endormi !

L'enfant, subitement réveillé au son de cette voix, se souleva sur les genoux de Mitsi avec une légère exclamation de joie :

— Papa !

Il tendait instinctivement vers lui ses petits bras flottants dans les manches de sa blouse de soie blanche.

M. de Tarlay sourit :

— Oui, tout à l'heure, je t'embrasserai, mon petit. Mais j'ai là des chevaux qu'il ne fait pas bon laisser un instant à eux-mêmes.

Il remit son attelage à vive allure... Et quand la victoria s'arrêta devant la terrasse du sud, il était là, attendant son fils — ou plutôt la jeune fille rougissante et troublée à laquelle, aussitôt, s'attachait son regard ardent et charmé.

Il prit l'enfant, le porta sur la chaise longue et

revint à la terrasse dont Mitsi, lentement, gravissait les degrés, tandis que la victoria s'éloignait.

— Un peu trop simplette, votre tenue, petite Mitsi. Vous avez l'air d'une très délicieuse quakeresse... Est-ce encore cette stupide Léonie qui vous l'a imposée ?...

Mitsi répondit avec un calme apparent qui lui coûta un violent effort, car elle se sentait frémir sous l'étincelant regard :

— Mais c'est la tenue de ma position, monsieur le vicomte, et je n'en désire point d'autre.

Il riposta, d'un ton moqueur et amusé :

— Allons donc ! Ne seriez-vous pas coquette, jeune beauté ?... Eh bien, je vous apprendrai à l'être. C'est très facile, vous verrez.

Il sourit encore, en la regardant avec une ironie caressante, et s'éloigna dans la direction de son appartement.

Mitsi, dont le cœur battait avec violence, entra d'un pas un peu chancelant dans la pièce où se trouvait Jacques... L'enfant demanda :

— Papa est parti ?

— Oui, mon chéri.

— Il ne m'a pas embrassé !

Elle murmura :

— Sans doute compte-t-il revenir vous voir plus tard.

Mais l'enfant secoua la tête. Toute sa joie était tombée. Mitsi l'entendit qui soupirait très fort, et elle pensa tristement : « Pauvre petit qui se rend si bien compte de l'indifférence paternelle !... qui sent peut-être, hélas ! que son père ne vient pas ici pour lui ! »

Cette nuit-là le temps, jusqu'alors fort beau, tourna brusquement à l'orage et Mitsi, déjà fatiguée, fiévreuse, incapable de trouver le sommeil depuis plusieurs jours, se sentit au matin envahie par une pesante lassitude. Elle se leva néanmoins à l'heure habituelle, mais comme Dorothy, remarquant sa mine défaite, lui offrait de se reposer tandis qu'elle-même s'occuperait de l'enfant, la jeune fille accepta d'autant plus volontiers qu'elle craignait que M. de Tarlay vînt dès ce matin-là rendre visite à son fils.

Ce fut en effet ce qui se produisit. Christian eut la désagréable surprise de voir près de Jacques, au lieu du ravissant visage de Mitsi, la sèche figure de l'Anglaise. Il dissimula d'ailleurs assez bien sa contrariété, fort vive pourtant, et se montra pour Jacques assez affectueux, lui déclarant qu'il l'emmènerait le lendemain dans sa voiture pour faire une promenade en forêt.

— Avec Mitsi ? demanda l'enfant qui palpitait de bonheur.

— Avec Mitsi, naturellement.

Un sourire d'ironie légère entrouvrait les lèvres de Christian, qui ajoutait en lui-même : « Avec Mitsi surtout !... Cette délicieuse petite Mitsi qui n'est que charme, que séduction encore ignorante de son pouvoir. »

Le ciel, chargé de nuées menaçantes toute la matinée, se découvrit l'après-midi, si bien que, vers 2 heures, Dorothy dit à sa compagne :

— Il serait bon de faire prendre l'air à Jacques. Mais ce temps d'orage m'a donné un commencement de migraine que je crains fort de voir augmenter si je sors... Peut-être cela ne vous fatiguerait-il pas trop de conduire l'enfant au jardin, pas bien loin, en cas d'un retour d'orage ?

Mitsi ne s'y sentait pas fort disposée : mais elle voyait le petit garçon grognon, tour à tour nerveux et somnolent, et elle pensa qu'un peu de changement lui serait favorable. Elle le mit donc dans son petit fauteuil roulant et s'en alla vers les jardins, en choisissant les allées bien ombragées.

Sur le désir de Jacques, elle s'arrêta près d'un grand bassin de marbre, garni de fort belles plantes aquatiques. L'enfant aimait particulièrement ce lieu parce qu'il se plaisait à suivre les évolutions des libellules, nombreuses en cet endroit... Quelqu'un se trouvait là aujourd'hui. Assis près du bassin, Olaüs Svengred reproduisait sur un album une des charmantes allées ombreuses qui aboutissaient au rond-point dont le grand miroir d'eau formait le centre.

Il se leva, salua Mitsi, adressa quelques mots affectueux à Jacques et s'informa de ses nouvelles près de la jeune fille. Voyant qu'il avait fermé son album et faisait un mouvement pour s'éloigner, Mitsi protesta :

— Mais, monsieur, ce n'est pas à vous de vous déranger ! Nous irons ailleurs, tout simplement.

— Non, certes !... D'ailleurs, j'ai presque terminé !... Quelques coups de crayon, et ce sera fait...

Sans se rasseoir, il acheva son œuvre, tandis que Mitsi installait l'enfant. Puis Jacques voulut voir le dessin, et Olaüs s'entretint un moment avec la jeune fille... Après quoi il s'éloigna, respectueux et discret, n'ayant pas donné un seul instant à Mitsi une impression de gêne. Pourtant, dans le regard sérieux et doux de ces yeux bleus, elle avait vu l'intérêt, la délicate admiration qu'elle inspirait à l'ami du châtelain de Rivalles. Mais elle sentait que celui-là voyait en elle une âme, une conscience qu'il devait respecter, tandis que l'autre...

« Il faut que je parte. Dès demain, je parlerai à Marthe de mon projet, en lui demandant de me prêter la somme nécessaire pour le voyage. »

Vers 3 heures, les nuées d'orage se montrèrent de nouveau et Mitsi jugea prudent de reprendre le chemin du logis, en dépit des protestations de

Jacques... Mais quand l'enfant fut arrivé au château, il s'aperçut qu'il avait oublié son polichinelle près du bassin. Comme c'était son jouet favori, il se mit à pleurer, en pensant qu'il allait être mouillé, complètement détérioré par l'orage dont on entendait déjà les premiers grondements.

— Eh bien, je vais retourner vous le chercher, mon chéri, déclara Mitsi.

Dorothy fit observer :

— Vous allez vous faire mouiller, ma chère.

— Non, j'aurai certainement le temps d'être de retour avant que la pluie commence... Et ce pauvre petit a déjà les nerfs si tendus aujourd'hui qu'il vaut mieux lui donner la satisfaction de retrouver son jouet.

Courant presque, Mitsi gagna très rapidement le bassin; mais elle dut chercher un moment le polichinelle tombé derrière un des bancs de marbre qui ornaient le rond-point... Les grondements devenaient plus fréquents, et se rapprochaient. Le ciel prenait une couleur de plomb. Mitsi, instinctivement, coupa par le plus court, c'est-à-dire par une allée qui passait devant le pavillon italien où, autrefois, elle avait été si durement reçue par M. de Tarlay.

Christian, maintenant encore, y venait fréquemment, il avait réuni là ses notes de voyage qu'il s'occupait de réviser, dans l'idée un peu vague encore de les publier quelque jour... Et précisément à l'instant où Mitsi allait passer devant le pavillon, il apparut, suivi de son dogue Attila, sur le petit péristyle de marbre, dans l'évidente intention de regagner le château avant qu'éclatât l'orage.

Une légère exclamation s'échappa de ses lèvres :

— Ah ! Mitsi !... D'où venez-vous donc, si pressée ?

— Jacques avait oublié son polichinelle, monsieur, et je viens d'aller le chercher, avant que la pluie commence.

— Vous n'aviez qu'à le laisser où il était, on en aurait acheté un autre s'il était arrivé malheur à celui-là. Vous avez pris chaud à courir ainsi par ce temps, pour satisfaire à quelque exigence de Jacques, sans doute?

— Le pauvre petit est si éprouvé par l'orage que je n'ai pas cru devoir lui refuser cette satisfaction.

— Oui, oui... mais moi, je ne veux pas que vous vous fatiguiez. Il fallait envoyer un domestique, tout simplement.

Sans répliquer, Mitsi fit un mouvement pour continuer sa route... Mais Christian dit vivement :

— Non, venez ici, un instant. J'ai quelque chose à vous montrer.

Comme elle demeurait immobile, dominée par une pénible hésitation, M. de Tarlay répéta, cette fois d'un ton plus impératif :

— Allons, venez.

Il se souvenait en ce moment — son ton le disait assez — qu'il était le maître et qu'elle n'était ici qu'une servante, bien qu'il lui eût fait retirer la tenue de son emploi.

D'un pas qui hésitait encore, elle gravit le degré de marbre et, derrière M. de Tarlay, franchit le seuil de la pièce en rotonde au plafond décoré d'admirables peintures de la Renaissance italienne. Sur le sol dallé de marbre rose étaient jetés des tapis anciens. Quelques meubles précieux, des sièges recouverts de soieries vénitiennes, des ivoires travaillés, des pièces d'argent niellé, des marbres discrètement patinés par le temps formaient la somptueuse décoration de ce retiro où flottait une légère senteur de fin tabac mêlée à celle des roses qui couvraient extérieurement le pavillon.

Mitsi s'était arrêtée près de la porte. Christian se tourna vers elle, en disant avec un sourire nuancé d'ironie :

— Eh bien, avancez donc, petite Mitsi... Avez-vous peur que le loup vous mange?... Il est vrai qu'autrefois, je vous ai assez mal reçue, ici même... J'ai donc à me faire pardonner, je le reconnais très volontiers.

Ce n'était pas le souvenir de sa pénible déception d'enfant qui serrait en ce moment le cœur de Mitsi, et la faisait frémir d'angoisse... mais bien plutôt le regard d'ardente admiration qui s'attachait à elle, et que complétait si bien l'ironie caressante, infiniment séductrice du sourire.

Elle essaya de balbutier :

— Je n'étais alors qu'une petite fille indiscrète... irréfléchie...

— Que je menaçai de faire dévorer par Attila... Tandis qu'aujourd'hui, je veux orner une délicieuse petite main que j'ai fort admirée, ces temps-ci...

Tout en parlant, M. de Tarlay sortait de sa poche un écrin qu'il ouvrit, et détacha du velours sombre une bague ornée d'une seule perle du plus pur orient.

— ... Je l'ai choisie pour vous pendant mon séjour à Paris. Voyons comment elle vous va...

Christian se pencha pour prendre la main de Mitsi, et la saisit avant que la jeune fille eût pu opérer un mouvement de recul. Son rire un peu railleur résonna dans la rotonde de marbre :

— Eh ! quelle farouche petite fille vous faites, Mitsi !... ma cousine Mitsi... car enfin vous êtes ma cousine, et il est bien naturel que je vous offre ce bijou.

— Vous ne me reconnaîtriez pas cependant pour telle aux yeux du monde, monsieur !

En répliquant ainsi d'un ton vibrant de fierté, Mitsi essayait — vainement — de dégager sa main que tenaient sans violence, mais avec force, les doigts fins de Christian.

— En effet... Mais après tout, que vous importe l'opinion du monde? Ma protection, mon amour suffiront à votre bonheur... Car je vous aime, Mitsi, petite Mitsi charmante...

D'un mouvement vif et souple, il attirait contre lui la jeune fille, entourait de son bras les épaules frissonnantes :

— ... Rien n'est comparable à vous ! Je vous aime follement, Mitsi chérie !

D'un brusque mouvement, elle essaya de se dégager. Mais Christian la retint contre lui en disant d'une voix basse, passionnée :

— Non, non, vous ne m'échapperez pas ! Je vous garde, Mitsi, ma jolie petite Mitsi...

Sous le brûlant regard de ces yeux bleus si beaux, elle eut un long frisson. Sa voix, étranglée par l'émotion, par la terreur, bégaya :

— Laissez-moi !... Laissez-moi !...

En même temps, elle faisait un nouvel effort pour se dégager, en détournant la tête, afin de ne plus voir ce regard qui lui donnait le vertige. Elle sentit à cet instant sur sa joue les lèvres de Christian. Alors un grand frémissement la secoua des pieds à la tête. Toute sa fierté bouillonna, emporta les autres sentiments qui essayaient de la dominer. D'un mouvement instinctif, sa main alla frapper le visage de M. de Tarlay, tandis que ce mot s'échappait de sa bouche tremblante :

— Lâche !

Subitement, elle se sentit libre... Pendant quelques secondes, ils restèrent face à face : lui, très pâle, les yeux étincelants d'une ardente colère, elle, frémissante de détresse, le regard chargé d'indignation, de souffrance, de reproche douloureux...

Puis, se détournant, elle s'enfuit du pavillon somptueux, elle descendit le degré de marbre... et là-bas, juste devant elle, dans une des allées pleines d'ombre, elle vit un groupe élégant qui se hâtait, désireux sans doute de gagner le château avant l'orage. Mitsi distingua vaguement Florine, vêtue de blanc, la majestueuse présidente... Elle vit le geste de Mlle Dubalde qui la désignait à son entourage, et entendit le rire étouffé, le rire insultant qui s'échappait du groupe. Alors, elle s'élança vers une autre allée, avide de trouver un coin solitaire pour remettre un peu de calme en son esprit désemparé, en son cœur agité de soubresauts désordonnés.

Mais elle avait à peine fait quelques pas sous le couvert qu'un homme surgit à ses côtés, lui saisit le bras en ricanant :

— Allons, je vais pouvoir maintenant clouer le bec à cette chipie de Marthe, qui prétendait si bien que vous étiez une façon de petite sainte, belle Mitsi ! Parbleu ! c'est un fameux rêve pour vous, d'avoir plu à M. le vicomte ! Mais il ne faudra plus faire la fiérotte ni la mijaurée, hein, ma petite ?

En parlant ainsi, Théodore penchait vers Mitsi son visage grimaçant d'un insultant sourire... Elle arracha son bras d'entre les doigts du valet et se mit à courir, la tête perdue, n'ayant plus qu'un désir : fuir... fuir loin de cette demeure maudite où déjà la petite Mitsi d'autrefois avait tant souffert, où la jeune fille pure et fière venait de perdre aux yeux du monde, qui juge sur les seules apparences, l'honneur, ce bien plus précieux que la vie pour une femme irréprochable.

L'orage se rapprochait. Mais Mitsi ne prenait garde ni aux éclairs de plus en plus fréquents, ni aux nuages couleur de cuivre sombre, ni aux longs roulements de la foudre qui ébranlaient la lourde atmosphère. Elle courait, comme une pauvre bête traquée, traversant les jardins, franchissant une petite porte du parc, et puis s'en allant vers la forêt avec l'instinctive pensée que là elle pourrait se cacher à tous les regards, qu'elle serait seule... seule, pour réfléchir à sa terrible détresse.

La pluie commençait de tomber, en grosses gouttes

lourdes et chaudes... Et avant que Mitsi eût atteint la forêt, ce fut l'averse torrentielle, accompagnée de fulgurantes lueurs.

La jeune fille était déjà ruisselante quand elle pénétra enfin sous le couvert des arbres. Mais elle ne s'en apercevait même pas. Elle continuait de courir, s'engageant au hasard dans les petits sentiers couverts de mousse, insouciante des branches qui s'accrochaient à ses vêtements, qui la décoiffaient au passage... Et enfin, exténuée, haletante, les oreilles bourdonnantes, le corps brûlant de fièvre, elle se laissa tomber sur le sol, contre le mur délabré d'une vieille maison de garde abandonnée.

10

L'orage, court mais violent, avait dérangé quelque peu les préparatifs faits pour la soirée qui devait suivre le grand dîner auquel étaient conviés ce soir les châtelains voisins de Rivalles et quelques personnalités de la ville de Meaux. Il était impossible maintenant de songer à illuminer les jardins, le sol mouillé n'offrant pas un terrain favorable aux pieds chaussés de satin des élégantes invitées. Mais les distractions de l'intérieur apparaissaient très suffisantes, et parmi elles surtout le petit théâtre de salon organisé par Florine et Thibaud de Montrec. On y jouait ce soir un acte dû à la plume de Mme de Montrec, qui avait de grandes prétentions littéraires. Mlle Dubalde, infatigable dès qu'il s'agissait de son plaisir ou de sa vanité, y tenait le principal rôle avec plus d'assurance que de talent. Mme Debrennes lui avait offert la robe de velours « bouton-d'or » qu'elle portait à cette occasion et qu'elle conserva ensuite pour le reste de la soirée, son miroir et les compliments masculins lui ayant appris que cette toilette due à l'art de Worth lui seyait fort, en faisant valoir son teint légèrement fardé qui paraissait encore aux lumière avoir conservé presque toute sa fraîcheur.

Mais celui dont elle eût surtout voulu obtenir les suffrages n'avait eu pour elle que le plus indifférent des regards... Christian d'ailleurs se montrait, ce soir, distrait, presque sombre par moments et n'accordant aux plus charmantes de ses invitées que l'attention courtoise obligatoire chez un maître de maison... Olaüs Svengred, très observateur, le remarquait et se demandait : « Qu'a-t-il donc ? »

Sa surprise augmenta en voyant, vers minuit, son ami s'installer à une table de baccara, et n'en plus bouger jusqu'à la fin de la soirée — lui qui avait pour les cartes une complète indifférence.

Vers 2 heures, les départs commencèrent. A 3 heures, il ne restait plus dans les salons que M. de Tarlay, sa grand-mère, Florine et Svengred. Christian, debout dans le salon en rotonde qui précédait son appartement, venait d'allumer une cigarette. Il sonna pour donner ordre à un domestique de lui apporter du café. Svengred, en prenant congé de lui, fit observer :

— Tu n'as pas l'intention de dormir, à ce que je vois ?

M. de Tarlay répondit brièvement :

— Non, en effet.

La présidente, venant du salon des Bergères, s'avança, appuyée au bras de Florine. Derrière elle, la traîne de sa robe brochée violet sur gris balayait le tapis, avec un bruit soyeux. Des diamants étincelaient à son corsage, sur la dentelle de Chantilly qui en formait la garniture. Sa physionomie décelait la vanité satisfaite, l'orgueil triomphant. Ne jouissaitelle pas, en effet, de toutes les splendeurs de cette demeure que bien des princes eussent enviée? Un peu de prestige dont jouissait M. de Tarlay par son rang, sa fortune et ses qualités personnelles, ne rejaillissait-il pas sur elle, sa grand-mère, qui dirigeait son intérieur et recevait ses hôtes?... Oui, en vérité, Mme Debrennes estimait à sa juste valeur la situation qu'elle occupait ici, et elle tremblait que Christian, songeant quelque jour à se remarier, la détrônât ainsi, comme déjà elle l'avait été — bien peu de temps — quand la comtesse Wanzel était devenue vicomtesse de Tarlay.

Seul, le mariage de son petit-fils avec Florine pouvait permettre à Mme Debrennes de conserver cette situation à laquelle tenait si fortement son âme vaniteuse. Mais, hélas! Christian ne manifestait pas la moindre velléité d'inclination pour son amie d'enfance, et même il ne lui témoignait plus cette attention passagère, fantasque, toujours un peu railleuse, dont il était coutumier autrefois.

Ainsi, en ce moment, il n'avait pas un regard pour elle, pour cette beauté blonde que mettait en relief la toilette élégante, d'une teinte si brillante, d'une coupe impeccable donnant toute sa valeur à une taille demeurée fort belle, en dépit d'un léger commencement d'embonpoint.

La présidente pensa avec colère:

« C'est cette misérable petite Mitsi qui l'occupe!... Ah! comme je la traiterai de belle manière dès qu'il ne s'en souciera plus! »

— Nous allons maintenant prendre quelque repos, mon cher Christian, dit Mme Debrennes. Cette soirée a été assez réussie, ne trouves-tu pas?

— Mais oui, grand-mère.

La réponse tomba, brève et indifférente, des lèvres de Christian.

Florine dit vivement:

— Elle était absolument délicieuse, chère marraine ! J'ai d'ailleurs recueilli maints échos des sentiments de nos invités à cet égard.

Christian riposta avec une froide ironie :

— Vous avez assez l'expérience du monde, Florine, pour savoir qu'il ne faut pas toujours accorder grande créance aux compliments de ce genre.

Elle dit, en prenant un air de souriant reproche :

— Oh ! sceptique !... Non, je ne crois pas tous les compliments; mais ceux-ci étaient certainement sincères. Les fêtes de Rivalles ont depuis longtemps une réputation incontestable...

A ce moment, Léonie apparut au seuil du petit salon. Il y avait dans son regard une lueur de satisfaction mauvaise, et ses grosses lèvres se plissaient comme pour savourer quelque gourmandise de choix.

Elle annonça d'un ton de componction :

— Dorothy fait prévenir monsieur le vicomte et madame la présidente que M. Jacques ne va pas bien du tout cette nuit.

— Comment ?... Il n'était pas plus mal, hier, pourtant.

Christian, enlevant la cigarette de ses lèvres, se tournait vers la femme de charge qui demeurait à l'entrée du salon dans une attitude respectueuse.

— Mais oui, il n'était pas plus mal ! dit Mme Debrennes, sans émotion. Que lui est-il donc arrivé ?

— Voilà, madame la présidente... Il paraît que Mitsi n'est pas rentrée de toute la soirée, ni cette nuit... Alors M. Jacques s'est agité, agité... Il a pleuré, tant et si bien qu'étant déjà mis mal en train par l'orage, il s'est donné la fièvre... En ce moment, il a un peu de délire, et Dorothy croit qu'il faudrait demander le médecin.

— Comment, Mitsi n'est pas rentrée ?

C'était la présidente qui parlait ainsi, tout en jetant un coup d'œil en dessous vers son petit-fils, qui avait

124

eu un brusque mouvement, une légère montée de sang au visage.

— Que dites-vous là, Léonie?... Elle n'est pas rentrée depuis quand?

Christian s'avançait vers la femme de charge, en attachant sur elle un regard où paraissait une sorte d'angoisse.

— Mais depuis cet après-midi, monsieur le vicomte. Vers 3 heures, elle est revenue des jardins avec M. Jacques, à cause de l'orage qui menaçait. Puis, comme l'enfant avait oublié son polichinelle, elle est retournée pour le chercher. Depuis lors, personne ne l'a plus vue... Ah! si, Théodore a dit qu'il l'avait rencontrée, dans une allée voisine du pavillon italien. Elle courait... avec un air un peu affolé, prétend-il.

Florine dit avec vivacité, d'une voix qui frémissait de joie méchante :

— Nous l'avons vue aussi vers cette heure-là. Elle...

Mme Debrennes l'interrompit avec un regard qui lui intimait l'ordre de se taire. La présidente craignait que sa filleule, dans sa haine contre Mitsi, commît quelque maladresse.

Christian dit avec une sourde irritation :

— Et l'on attend jusqu'ici pour s'inquiéter de ce que devient cette enfant?... C'est incroyable! Dorothy aurait dû prévenir dès que la nuit est venue!

La voix doucereuse de Mme Debrennes s'éleva :

— Mais, mon cher Christian, elle pensait probablement la voir arriver d'un moment à l'autre... Voyons, on ne se perd pas dans les jardins de Rivalles! Cette disparition est invraisemblable!... à moins qu'elle soit volontaire. Mitsi, hélas! a un triste héritage moral, et nous avons tout lieu de craindre qu'elle suive les traces de sa mère!

Christian se tourna vers elle, d'un brusque mouvement qui mit en pleine lumière son visage aux traits tendus, aux yeux étincelants d'une colère mal contenue :

— J'ignore si la femme aimée de Georges Douvres était vraiment ce qu'on prétend; mais je sais bien que leur fille est entièrement digne de respect, et je ne supporterai pas que l'on élève quelque suspicion contre elle.

— Mais, mon enfant, je ne l'accuse pas... Cependant il est assez naturel de redouter... Et cette disparition...

Sans paraître l'entendre, Christian s'adressa à Léonie, d'une voix brève et nerveuse :

— Qu'on parte à l'instant pour chercher le docteur. Comment Dorothy, là encore, ne m'a-t-elle pas fait avertir plus tôt, puisque l'enfant se trouvait déjà très souffrant hier soir?

— La soirée était en son plein, monsieur le vicomte, et elle n'a pas cru devoir déranger...

Christian eut un haussement d'épaules :

— C'était, en vérité, une belle raison !... La soirée ! Je me moque bien de la soirée !

Il sortit du petit salon, où les trois femmes restèrent seules. Florine leva au plafond ses bras blancs, en murmurant :

— Ah ! si l'on pouvait ne jamais la retrouver !

Léonie chuchota mystérieusement :

— Quand Théodore l'a rencontrée, elle sortait du pavillon italien, où se trouvait M. le vicomte !

— Nous l'avons vue aussi, dit la présidente. Précisément nous revenions en compagnie des Montrec, de Mme Prégy, de M. Nautier. Mon petit-fils aura beau dire, nous sommes maintenant édifiées au sujet de cette jeune personne.

— Comme il la défend ! dit aigrement Florine. Cela m'étonne de sa part, car que peut importer à un homme comme lui la réputation de cette infime petite créature ?

La présidente secoua la tête :

— En effet... en effet. Mais enfin, j'espère bien que si on la retrouve, il ne va pas me l'imposer près de son fils ?

Mlle Dubalde ricana légèrement :

— Vous pouvez penser qu'il se gênera, ma pauvre marraine !... Mais ce que je ne comprends pas, c'est cette disparition. Quelle comédie, quelle manœuvre y a-t-il là-dessous ?

— Je me le demande comme toi, ma chère enfant. On peut tout craindre de l'esprit d'intrigue chez cette fille de la Vrodno, la misérable créature qui sut si bien prendre ce pauvre Georges et qui n'aurait pas manqué de nous faire tous les ennuis possibles si, grâce au ciel, une mort opportune ne nous avait délivrés d'elle... Ah ! comme tu le dis, Florine, ce serait la solution idéale, si cette Mitsi demeurait introuvable !

Léonie ajouta crûment :

— Ou bien s'il lui arrivait quelque bon accident.

Ni Mme Debrennes ni Florine ne protestèrent. Ce vœu de la femme de charge était celui que formulait secrètement leur esprit animé, pour des motifs différents, d'une haine implacable contre la jeune orpheline.

La présidente se dirigea vers l'appartement de l'enfant, où se trouvait déjà Christian. Jacques, très rouge, très excité, réclamait Mitsi en pleurant. Penché vers lui, son père caressait les cheveux bruns en disant avec douceur :

— Oui, mon petit Jacques, je vais la faire chercher et je te l'amènerai.

Après avoir échangé quelques mots avec sa grand-mère, Christian gagna son appartement et donna l'ordre que l'on fît appeler le doyen de ses gardes-chasse, Philippe Darier. C'est à cet homme, d'une fidélité éprouvée, qu'il voulait confier le soin de rechercher Mitsi, laquelle, sans ressources, ne pouvait être encore bien éloignée de Rivalles.

Darier, ayant écouté attentivement les explications de son maître, déclara qu'il se faisait fort de retrouver bientôt la jeune personne. Si elle se tenait cachée, ce ne pouvait être que dans la forêt; or, nul mieux que lui n'en connaissait tous les détours, car il la parcourait depuis l'enfance, les Darier étant de père en fils gardes-chasse sur les domaines des vicomtes de Tarlay.

Quand cet homme se fut éloigné, Christian se mit à marcher de long en large d'un pas nerveux, dans son cabinet de travail où pénétrait la pâle lueur de l'aube.

« Je l'aime, cette petite Mitsi... je l'aime comme un fou ! » se disait-il en continuant d'arpenter la grande pièce somptueuse où les fenêtres ouvertes laissaient entrer un air lourd, encore chargé d'orage.

Vers 5 heures, il donna l'ordre de seller son cheval, voulant, dans son anxiété, aller lui-même à la recherche de la disparue. Comme il achevait de s'habiller, on vint lui annoncer l'arrivée du Dr Leroux. Il le rejoignit près de l'enfant, toujours agité, toujours demandant Mitsi. En quittant l'appartement du petit malade, le médecin répondit au châtelain qui l'interrogeait :

— Je ne puis vous cacher, monsieur le vicomte, que je crains la méningite. Il faudrait réussir à le calmer... Celle qu'il réclame, c'est cette jeune fille que je voyais près de lui, et qu'il paraissait aimer beaucoup ?

— Oui... Elle est partie... nous ne savons pour où... Mais je la fais chercher, et j'espère qu'elle sera de nouveau aujourd'hui près de mon fils.

— C'est à souhaiter, car peut-être alors la joie qu'il en éprouverait serait-elle capable d'enrayer la crise que je redoute.

M. de Tarlay accompagna le médecin jusqu'à la cour d'entrée, où un palefrenier tenait en main le cheval du jeune châtelain. Parceuil, à ce moment, apparaissait dans le vestibule, sortant de son appartement. La présidente, en quittant son arrière-petit-fils, cette nuit-là, était venue bien vite l'informer de la grande nouvelle : la fuite de Mitsi. Le vieillard ne s'était pas couché et attendait l'instant où il pourrait voir Christian pour tenter d'avoir quelques renseignements au sujet des motifs de cette disparition. Il ne se dissimulait pas que ce serait chose difficile, quelle que fût son habileté, si M. de Tarlay avait résolu de ne rien dire. De fait, il ne reçut que cette laconique réponse :

— Je n'en sais pas plus que vous à ce sujet.

Parceuil soupira, en disant entre haut et bas :

— Hélas ! je craignais bien que nous ayons des ennuis avec cette malheureuse enfant !... Cependant, j'ai cru accomplir mon devoir en la recueillant autrefois, plutôt que de la laisser à la charité publique.

Christian le toisa d'un regard où la colère se mêlait d'ironie.

— C'était, en effet, un devoir élémentaire... et il eût été bon de le compléter en donnant par la suite à cette enfant une situation plus conforme à celle qui aurait été la sienne, si son père avait vécu.

Parceuil eut un mouvement de surprise, en jetant un coup d'œil fuyant vers son jeune parent.

— Comment ?... Que voulez-vous dire, Christian ? Vous ne supposez pas, j'imagine, que Georges — en admettant qu'il soit réellement son père — se serait décidé à épouser cette infime ballerine ?... Et s'il l'avait fait, je pense que votre approbation ne lui aurait pas été acquise ?

— En effet, si cette femme était vraiment telle qu'on le prétend. Mais je suis persuadé qu'avec sa nature honnête et droite, paraît-il — car moi je l'ai peu connu — mon cousin Georges aurait tenu à honneur que l'avenir de son enfant fût assuré de façon digne et large... Au fait, je me souviens d'avoir entendu dire par mon père qu'avant de mourir, il avait eu le temps de prononcer quelques mots, pour recommander à mon grand-père son enfant et cette femme, de telle sorte qu'il semblait désigner celle-ci comme son épouse légitime.

Parceuil eut un léger frémissement des paupières.

— Oui, au domestique qui le servait, il a dit avant d'expirer : « Mon enfant... ma femme... Dites à mon oncle... lui confie... »

Christian dit vivement :

— Ma femme?... Il a dit ma femme? Eh bien, alors, c'est une preuve, cela?

— Pas le moins du monde, mon cher ami. Au moment de mourir, dans l'affolement des derniers moments, il a désigné ainsi celle qui avait su très habilement le prendre dans ses filets et qui, d'ailleurs, se faisait passer pour sa compagne légitime. Tout cela m'a été révélé au cours de mon enquête, laquelle m'a permis de constater qu'il n'existait aucune pièce légale au sujet de ce soi-disant mariage.

— Pourtant, s'il m'en souvient bien, mon père avait comme une arrière-pensée là-dessus... Enfin, ce n'est pas l'heure de discuter. Avant toute chose, il faut retrouver la pauvre enfant.

Parceuil suivit des yeux son jeune parent qui se dirigeait vers la sortie du vestibule, et le regarda se mettre en selle, puis s'éloigner à travers la cour d'honneur. Il murmura, le front barré d'un pli soucieux :

— Eh! eh! attention!... Ce gaillard-là a une autre perspicacité que son père, et s'il venait à se mettre cette idée-là sérieusement dans la tête!... surtout si la petite lui tient à cœur... Mais qu'est-ce qui a pu se passer entre eux, pour qu'elle se soit enfuie ainsi, et pour que lui, Christian, ait cette mine soucieuse, presque altérée?... Hum! il faudra que j'aille conférer de cela tout à l'heure avec Eugénie...

Christian, au grand trot de son cheval, se dirigeait vers la forêt. Pour le moment, il ne songeait plus au doute qui lui était venu à l'esprit, tout à l'heure, en se souvenant de certaines paroles de son père. Sa pensée restait tendue vers ce seul but : retrouver Mitsi, l'adorable petite Mitsi, qui s'était enfuie comme un pauvre oiseau affolé, désespéré... Après cela, que ferait-il? Vraiment, il ne se le demandait pas.

Il s'engagea dans la forêt, en modérant l'allure de son cheval. Comme son garde, il croyait que la jeune fille avait dû se réfugier là. En ce moment, il cherchait Darier, pour savoir si celui-ci avait découvert quelque indice. Et de temps à autre, il portait à ses lèvres le sifflet d'argent qui lui servait à appeler ses gardes, quand il chassait en forêt.

Au détour d'un sentier, Darier, tout à coup, surgit devant lui, quelque peu haletant.

— J'ai trouvé la jeune fille, monsieur le vicomte... Elle était étendue près du vieux pavillon des Trois-Dames... Mais elle a refusé de venir avec moi...

Déjà Christian sautait à terre. Il jeta la bride de son cheval au garde, en disant : « Suis-moi », puis il se mit à courir dans la direction du lieu, très proche de là, que venait de lui indiquer Darier.

Bien lui en prit, car Mitsi, se voyant découverte, s'était levée, bien qu'elle tremblât de fièvre et, se traînant sur ses jambes chancelantes, essayait de fuir.

A la vue de Christian, un cri s'étrangla dans sa gorge. D'un bond, il fut près d'elle, saisit sa main brûlante...

— Ne craignez rien, Mitsi! Vous ne trouverez chez moi que respect et regret... Mais, ma pauvre enfant, dans quel état êtes-vous?

La robe de toile, trempée par la pluie, collait au corps frissonnant de la fugitive. Une fièvre ardente faisait briller les grands yeux bruns qui s'attachaient avec détresse, avec terreur sur M. de Tarlay... Mitsi balbutia :

— Laissez-moi... Laissez-moi partir !

Puis elle sentit un grand vide en son cerveau, et elle s'affaissa entre les bras de Christian.

M. de Tarlay l'emporta et rejoignit le garde qui arrivait avec son cheval. Refusant l'aide de Darier, il se hâta vers le château. Son regard ne quittait guère la tête charmante qui reposait sur son épaule, ce visage pâle, altéré, qu'entouraient les boucles brillantes de la chevelure détachée. Il pensait, le cœur serré d'angoisse : « Pourvu qu'elle ne soit pas très malade, ma pauvre petite Mitsi ! »... Et pendant ces instants où il l'emportait ainsi, inerte, il comprit mieux encore la place qu'elle avait prise dans son cœur jusque-là indifférent, sceptique, fermé à tout véritable amour.

Coupant au plus court, il prit le chemin qu'avait suivi Mitsi dans sa fuite, c'est-à-dire passa par la petite porte du parc, et, par les jardins, atteignit directement l'aile gauche du château.

Dorothy, qui sortait de la chambre de Jacques, leva les bras en l'apercevant et s'écria :

— Mitsi !... Que lui est-il arrivé ?

M. de Tarlay dit brièvement :

— Parlez plus bas à cause de Jacques... Et montrez-moi la chambre de Mitsi. Puis sonnez pour qu'on m'envoie immédiatement Marthe et qu'on parte sur l'heure pour chercher le Dr Leroux.

Quelques instants plus tard, Marthe se trouvait près de la jeune fille que Christian avait déposée sur son lit. En essayant de dominer son émotion, elle écouta les instructions que lui donnait son maître. Après quoi, Christian se retira, non sans jeter un long regard d'angoisse vers Mitsi, toujours sans connaissance.

Il se rendit près de son fils. Jacques, très abattu maintenant, tourna un peu la tête et demanda faiblement :

— Papa... Mitsi ?

— Elle est revenue, mon chéri... mais elle ne peut pas venir te voir, parce qu'elle est un peu malade.

Christian s'approchait de l'enfant et se penchait pour embrasser le petit visage brûlant.

Jacques murmura d'un ton de prère plaintive :

— Restez près de moi, papa, puisque Mitsi ne peut pas venir.

La fibre paternelle, si longtemps insensible chez cet homme trop idolâtré, s'émouvait enfin devant le petit être malade, devant cet enfant que Christian avait vu entouré par Mitsi d'une tendresse délicate, alors que l'aïeule lui accordait moins de sollicitude qu'à son petit chien. En passant une main caressante sur les cheveux bouclés, M. de Tarlay répondit :

— Oui, mon cher petit; je vais quitter ma tenue de cheval et je reviens près de toi.

11

Sans trop de peine, Marthe avait réussi à ranimer Mitsi. Celle-ci, en ouvrant les yeux, jeta autour d'elle un regard d'angoisse et balbutia :

— Ah ! ici !... encore ici !

Puis, de sa main qui brûlait, elle saisit les doigts de Marthe et supplia, d'une voix haletante :

— Emmenez-moi de cette demeure !... Je ne veux pas y rester... Je ne veux pas « le » revoir !

— Mais, ma chère petite Mitsi, c'est impossible. Vous avez de la fièvre, une très grosse fièvre...

— N'importe ! Je ne veux pas rester ici... « Il » va venir... il va me dire encore qu'il m'aime... avec ce regard !... ce regard !... Oh ! emportez-moi ! emportez-moi !

Elle se redressait, les yeux brillants, le corps frissonnant de fièvre. Le délire s'emparait d'elle. Avec l'aide de Dorothy qu'elle courut vite appeler, Marthe réussit à la déshabiller, à la coucher. Puis, tandis que l'Anglaise allait retrouver le petit malade, la lingère demeura seule près de Mitsi.

Théodore, dès la veille, n'avait rien eu de plus pressé que de raconter, avec force commentaires calomnieux, comment il avait vu la jeune fille sortir du pavillon qui était à l'usage exclusif du châtelain. Adrienne, dont l'hostilité à l'égard de Mitsi n'avait fait que croître depuis que M. de Tarlay paraissait distinguer celle-ci, s'était hâtée d'apporter la nouvelle à Marthe, qui n'avait jamais caché sa sympathie pour l'orpheline et la confiance qu'elle lui inspirait. Cette fois encore, la lingère avait déclaré qu'elle ne croyait pas ces racontars... Mais, tout au fond d'elle-même, elle se disait : « Pauvre petite, si délicate, si honnête qu'elle soit, pourra-t-elle, seule, malheureuse, sans appui, résister à un homme tel que M. de vicomte, qui a tout pour plaire, et dont toutes les femmes sont amoureuses, dit-on ! hélas ! hélas ! »

Or, voici que Mitsi, dans son délire, racontait la scène qui s'était passée dans le pavillon. Marthe, les larmes aux yeux, songeait : « Pauvre enfant !... pauvre petite Mitsi ! C'est donc pour cela que Monsieur avait l'air si bouleversé, quand je suis entrée ici ! Il sent du remords, tout de même ! Et puis, s'il l'aime !... »

— Lâche !... Lâche ! disait Mitsi, les dents serrées.

Et sa main s'étendait, battant l'air... Puis la tête

brûlante retomba sur l'oreiller tandis que la jeune fille gémissait :

— Ah ! ils m'ont vue !... Ce Théodore !... Je suis perdue !

Marthe vit avec soulagement arriver le Dr Leroux. Celui-ci, après un sérieux examen, diagnostiqua une pneumonie... M. de Tarlay ayant donné l'ordre à Dorothy de le prévenir quand le médecin sortirait, apprit de sa bouche la gravité du mal qui terrassait la courageuse Mitsi.

Il s'informa avec une anxiété qu'il ne cherchait pas à dissimuler :

— Mais vous espérez pourtant la sauver, docteur ?

— Certes ! A son âge, et avec la bonne constitution qu'elle semble avoir, l'espoir est très permis. Mais d'après ce que m'a dit la personne qui la soigne, elle est restée toute la nuit dehors, avec ses vêtements mouillés. Cela peut nous donner une pneumonie corsée... Enfin, espérons, espérons !... Sa garde-malade a toutes mes instructions et je reviendrai d'ailleurs cet après-midi, pour voir l'enfant et elle.

En s'éloignant, le médecin songeait : « Hum ! Il a l'air de s'intéresser fameusement à la jeune personne, M. de Tarlay !... Pas étonnant, car elle est charmante, absolument charmante. Mais à quel propos a-t-elle été passer la nuit dans la forêt ? Qu'est-ce qu'il y a donc là-dessous ? »

Christian avait regagné la chambre de Jacques. Son cœur était lourd d'angoisse et de regret violent. Mitsi, la si jolie petite Mitsi allait peut-être mourir... et ce serait lui qui l'aurait tuée ! Ah ! vraiment, elle avait eu raison de le traiter comme elle l'avait fait ! C'était odieux à lui de s'attaquer ainsi à cette enfant pleine de réserve et de fière délicatesse, qui n'avait personne pour la défendre et se trouvait en quelque sorte sous sa dépendance. De plus, il n'ignorait pas le dévouement, les soins dont elle avait entouré Jacques, pendant la scarlatine qui avait failli l'enlever. Cela seul aurait dû suffire pour lui interdire de la traiter ainsi qu'il l'avait fait.

Mais il était si accoutumé à la fragilité des consciences féminines ! Il savait si bien que d'autres, à la place de Mitsi, auraient été trop heureuses d'être distinguées par lui, et, toute la première, cette Florine Dubalde, qui osait prendre un tel air de mépris quand elle parlait de Mitsi, la fille de la ballerine !

Dans l'état d'esprit où il se trouvait, Christian vit avec impatience apparaître sa grand-mère, vers 9 heures. La présidente était vêtue d'une robe de chambre en soie violette garnie sur le devant d'un flot de dentelle blanche. Un parfum de poudre à la maréchale entra avec elle dans la chambre où le petit malade, après un temps de calme, recommençait de s'agiter.

En voyant son petit-fils près du lit de l'enfant, Mme Debrennes eut peine à dissimuler sa stupéfaction. Brièvement, Christian répondit à ses questions au sujet de l'état de Jacques, en lui faisant signe qu'il fallait le calme et le silence. La présidente s'éloigna sans avoir satisfait sa curiosité à l'égard de Mitsi, que l'on disait avoir été rapportée inanimée par M. de Tarlay lui-même, et pour qui le Dr Leroux avait été appelé d'urgence.

A 11 heures, Christian quitta son fils en lui promettant de revenir au début de l'après-midi. Dorothy lui avait rapporté des nouvelles de Mitsi, qui n'étaient point bonnes. Aussi fut-ce avec un air très sombre que M. de Tarlay entra dans son cabinet de travail où il trouva son ami Svengred, qui se promenait de long en large, avec une mine fort soucieuse, lui aussi.

— Tu m'attendais, Olaüs?... J'étais près de mon petit Jacques, qui ne va toujours pas bien...

Il tendait la main au Suédois, qui ne la prit pas avec la cordialité habituelle. Et il rencontra les yeux bleus, tristes et sévères, presque hostiles.

— Je voulais savoir si ce qu'on raconte est vrai, Christian... Il se colporte des bruits odieux à propos de cette pauvre jeune fille, que les Montrec, Mlle Dubalde, Mme Prégy, Nautier et même Mme Debrennes prétendent avoir vue sortir hier dans l'après-midi du pavillon italien où tu te trouvais à ce moment-là.

Christian eut une sourde exclamation :

— Ils l'ont vue?... Ah! pauvre petite, je comprends mieux encore son affolement, son désespoir !

— Ainsi, c'est vrai?... C'est vrai? dit Svengred d'une voix un peu rauque. Tu as été misérable pour...

Christian l'interrompit d'un geste violent :

— Ah! tais-toi!... tais-toi! Tous les reproches que tu pourrais me faire ne vaudront pas ceux de ma conscience ! Oui, j'ai osé tenter cette admirable petite Mitsi, qui m'a repoussé... qui s'est enfuie, au hasard. C'est alors, sans doute, qu'ils l'ont vue, ces êtres qui sont si loin, si loin de la valoir, et qui s'empressent de jeter la boue sur elle...

Il s'interrompit, en passant sur son front une main frémissante :

— Tiens, j'oublie que parmi eux se trouvait ma grand-mère... Et elle n'est probablement pas la dernière à calomnier Mitsi, car j'ai remarqué de la malveillance chez elle, à l'égard de cette enfant qui pourtant devrait inspirer uniquement estime et affection.

— Oui, c'est exact. Mme Debrennes va répétant qu'on ne pouvait attendre autre chose de cette jeune fille, vu sa déplorable ascendance.

Christian répéta :

— Sa déplorable ascendance?... Et qu'en savons-nous, après tout?... Parceuil prétend avoir fait une enquête après la mort de Georges Douvres. Mais il a pu procéder légèrement, ou s'être trompé... Car je m'étonne que Mitsi, avec sa distinction de praticienne, avec la rare valeur morale dont je viens d'avoir une preuve, ait pour mère une coquine quelconque, fille de vulgaires cabotins.

— Enfin, que ce soit exact ou non, il n'en demeure pas moins ce fait indéniable et désolant : la réputation de cette malheureuse enfant est perdue, par ta faute...

Christian serra les poings, en murmurant sourdement :

— Ah! les langues de vipère!... Et elle est malade, très malade, Svengred, après toute cette nuit passée dans la forêt!

— On le disait aussi... C'est donc bien vrai, pauvre petite?

La voix de Svengred tremblait d'émotion.

— Oui, c'est vrai!... Et à cause de moi! de moi qui l'aime pourtant... comme jamais je n'ai aimé personne!

Le pâle visage du Suédois frémit un peu, les paupières trop blanches, presque transparentes, s'abaissèrent un instant sur les yeux tristes.

Christian poursuivait, en marchant de long en large, d'un pas nerveux :

— Ce n'est pas du caprice, je te l'affirme, Olaüs! Tu me connais, tu sais qu'en dépit des apparences, je ne suis pas un vulgaire viveur, et que je demeure très capable d'un attachement sincère, fidèle, pour la femme qui aura su prendre mon cœur. Eh bien, j'ai compris que cette femme-là était Mitsi... Mitsi à qui je puis donner toute mon estime, toute ma confiance, en même temps que mon amour.

Svengred dit brusquement :

— Et à quoi cela te mènera-t-il?... Ton devoir, certes, serait de l'épouser, maintenant que, tout irréprochable qu'elle soit, tu l'as compromise aux yeux du monde. Mais son origine t'en empêche, surtout dans la situation que tu occupes.

— Il se pourrait cependant que ma situation pesât moins dans la balance que l'honneur de Mitsi, et que mon amour pour elle.

Olaüs jeta un coup d'œil stupéfait sur le visage frémissant, où les yeux étincelaient d'une lueur de passion que le Suédois n'avait jamais vue dans le regard de son ami.

— Tu ne veux pas dire que tu passerais outre?...

Christian, sans répondre, marcha vers une des portes-fenêtres ouvertes sur la terrasse et demeura un instant immobile, les bras croisés, le visage contracté par l'intensité de la pensée. Puis il se détourna brusquement, en disant d'un ton décidé :

— Il faut que je la refasse, moi, cette enquête sur la famille maternelle de Mitsi, sur l'existence de Georges Douvres à Vienne... Je crois me souvenir que mon père avait comme une arrière-pensée à ce sujet... et à ses derniers moments, il a prononcé quelques paroles, qui, maintenant, me donnent à penser que des doutes subsistaient en lui, que sa conscience lui reprochait peut-être de n'avoir pas cherché à approfondir cette affaire... Mon pauvre père était un parfait honnête homme, mais l'énergie n'était pas sa qualité maîtresse et la maladie lui ôtait d'ailleurs quelque peu de sa force morale. Moi, à ce moment-là, j'étais trop jeune, et d'ailleurs fort insouciant. Aussi les dernières paroles de mon père ne firent-elles alors aucune impression sur mon esprit. Mais tandis que je réfléchissais tout à l'heure à cette aventure de Georges, voici que je m'en suis souvenu... Et je veux m'assurer, par moi-même, de ce qu'était réellement la mère de Mitsi.

— Tu as raison, dit simplement Olaüs.

Christian mit les mains sur les épaules de son ami et plongea son regard dans les yeux chargés de mélancolie :

— Tu l'aimes, toi aussi, Olaüs.

— Je te réponds franchement : oui. Mais ne crains rien, je n'ai pas l'intention d'aller sur tes brisées. Sans parler de ma santé, trop précaire pour que je songe au mariage, je sais à l'avance lequel serait choisi de nous deux... Qu'il ne soit donc plus question de cela entre nous, mon ami. Notre intimité demeurera entière, tu me laisseras comme auparavant la liberté de te faire quelques reproches, s'il est nécessaire...

Et Svengred proposa à son ami :

— Au cas où je pourrais t'aider dans tes recherches, contribuer à la réhabilitation de la mère de Mitsi et par là rendre possible ton mariage avec celle qui souffre par ta faute, ne crains pas d'user de moi, ton meilleur ami, toujours.

Dans un ardent mouvement d'émotion, Christian serra contre sa poitrine le corps mince de Svengred :

— Oui, le meilleur, le seul véritable !... Tu m'en donnes en ce moment la plus grande preuve, Olaüs. Eh bien ! oui, j'aurai besoin de toi. Il m'est impossible de m'absenter en ce moment, avec Jacques malade. D'ailleurs, ces recherches peuvent demander du temps. Voudrais-tu t'en charger?... Tu irais à Vienne, où tu trouverais un aide précieux en la personne du comte Vedenitch, mon beau-frère, excellent garçon, fort intelligent, très serviable, et qui possède des relations partout. Toi, tu as l'esprit chercheur et subtil. A vous deux, vous devrez arriver à savoir exactement la vérité.

— Je l'espère. En tout cas, je ferai le possible, sois-en assuré. Dès demain, je prendrai la route de

Vienne. Mais il me faudra donner un motif à ce départ impromptu...

— Dis que tu te décides à te rendre à l'invitation que t'a faite depuis longtemps ton cousin, le secrétaire d'ambassade.

— Oui, c'est vrai, Axel est là-bas... Eh bien! soit.

— Naturellement, pas un mot qui puisse faire deviner à ma grand-mère que je reprends cette enquête autrefois faite par Parceuil, d'après les instructions de mon grand-père Douvres, alors malade!

— Naturellement! Mme Debrennes y verrait une défiance à l'égard de son cousin, et il est bien inutile de lui donner ce froissement.

— D'autant plus qu'elle a toujours témoigné à son égard d'une grande sympathie. Or, cette sympathie, je ne la partage guère. Parceuil est un homme intelligent, qui dirige bien les forges et me rend sous ce rapport de réels services; mais sa nature est fausse, et peut-être foncièrement mauvaise.

— Eh! je suis enchanté d'entendre ce jugement! Voici pas mal d'années que je connais ce cousin de ta grand-mère et de plus en plus je sens un éloignement pour lui, en dépit des amabilités dont il m'accable. Mais je croyais que toi, Christian, tu te laissais quelque peu prendre à ses flatteries, à ses encensements?

M. de Tarlay leva les épaules:

— Peut-être autrefois... Mais on ne me trompe pas longtemps. Je me sers de lui comme d'un objet utile, que j'écarterai dès qu'il me déplaira trop.

Parceuil eût tremblé de dépit et d'inquiétude s'il avait entendu ces paroles prononcées avec un froid dédain par son jeune parent... Mais il était en ce moment enfermé avec la présidente dans le salon de celle-ci. Tous deux s'entretenaient à mi-voix, d'un air soucieux. Ils s'interrompirent à l'entrée de Florine, qui arrivait tenant sous son bras le petit chien havanais de la présidente :

— Eh' bien, marraine, cette fameuse Mitsi est sérieusement malade, paraît-il ?

— On le prétend, chère petite... Tu comprends que je n'ai pas été m'informer de ses nouvelles.

— Je m'en doute !... Avez-vous vu Christian ?

— Je l'ai trouvé près de son fils. Il paraissait nerveux, assez sombre, et s'est montré pour moi presque désagréable.

Florine dit aigrement :

— La pensée de sa chère Mitsi l'occupait sans doute... Ah ! combien je souhaite que la maladie nous délivre de cette petite peste !

Ni la présidente ni Parceuil n'élevèrent la voix pour appuyer ce vœu. Mais le regard qu'ils échangèrent disait clairement : « Tel est aussi notre espoir ! »

12

Pendant les deux jours suivants, l'état de Jacques traîna, sans aggravation manifeste. En revanche, Mitsi était très mal. Le Dr Leroux ne cachait pas qu'il la jugeait perdue. Christian, désespéré, montrait à ses hôtes un visage sombre et fermé. Mais, près de Jacques, il composait sa physionomie, pour ne pas inquiéter l'enfant à qui l'on disait que Mitsi était toujours un peu malade, mais qu'elle pourrait certainement bientôt se lever et venir aider Dorothy à le soigner.

Le soir du second jour, la garde-malade qui

suppléait Marthe pendant la nuit pour veiller la jeune fille, dit à l'Anglaise :

— Je crois que demain matin, elle n'y sera plus, la pauvre petite demoiselle, car je la trouve encore plus mal ce soir.

— Ah ! Seigneur ! Cette pauvre Mitsi ! soupira Dorothy. Je ne puis m'imaginer qu'elle va mourir !

Les deux femmes se trouvaient dans le couloir desservant les différentes pièces qui composaient l'appartement du petit Jacques. Quand Dorothy voulut rentrer dans la chambre de l'enfant, elle s'aperçut avec quelque inquiétude que la porte en était restée entrouverte.

« Pourvu qu'il n'ait pas entendu ! » songea-t-elle.

Hélas ! oui, Jacques connaissait maintenant la vérité. Soulevé sur ses oreillers, rouge d'émotion, il bégaya, en voyant paraître l'Anglaise :

— Mitsi va mourir ?... Mitsi va mourir ?... Ma Mitsi !

Puis il se renversa en arrière, les membres tordus par une convulsion.

Christian, qui arrivait par la terrasse et avait entendu ces derniers mots, se précipita vers lui, en disant :

— Mais non, mon petit !... Mais non ! Elle vivra notre Mitsi !

Il était trop tard. Quelques minutes après, le pauvre petit Jacques expirait dans un spasme, entre les bras de son père. Son dernier regard fut pour le beau visage qu'il avait vu trop souvent indifférent et froid, mais qui, en ce moment, témoignait de la plus profonde émotion.

Quand le frêle petit corps fut inerte, M. de Tarlay en détacha ses bras, puis il demanda à Dorothy bouleversée devant cette fin subite :

— Comment a-t-il su que Mitsi allait peut-être mourir ?

— Il venait d'entendre la garde qui me le disait, monsieur le vicomte. Et la porte était entrouverte, sans que je m'en doute.

Christian eut un violent mouvement d'épaules, en disant entre ses dents :

— Ce n'est pas Mitsi qui aurait eu de ces négligences-là !

Puis il donna l'ordre à Dorothy d'aller prévenir Mme Debrennes et se retira dans son appartement. Il s'assit dans le cabinet de travail, près d'une fenêtre ouverte par laquelle entrait l'air chaud de la nuit, chargé des parfums qui s'exhalaient des parterres. Une lourde angoisse pesait sur son âme, à la pensée que dans quelques heures, peut-être, Mitsi aurait quitté ce monde. Certes, la mort de son fils ne le laissait pas insensible ; mais il avait été jusqu'alors trop peu véritablement père pour en souffrir profondément. En son cœur, l'amour dominait tout — l'amour pour Mitsi, mourante par sa faute. Et cette pensée le faisait frissonner de souffrance, d'amer regret.

Svengred était parti deux jours auparavant, pour aller chercher sur place les renseignements relatifs à la mère de la jeune fille, la belle Ilka Vrodno. Mais Christian songeait douloureusement : « A quoi bon, si elle meurt ? Que sa mère ait été véritablement ce que dit Parceuil, je n'en resterai pas moins assuré qu'elle, pauvre petite Mitsi bien-aimée, était loin de lui ressembler. »

Bientôt, incapable de demeurer immobile, il se leva et se mit à faire les cent pas sur la terrasse. Peu après, il entendit frapper à la porte de son cabinet. Mais il ne répondit pas, se doutant que c'était sa grand-mère. Dans la disposition d'esprit où il se trouvait, Christian ne se souciait pas d'entendre les vagues condoléances, les lieux communs qui sortiraient des lèvres de Mme Debrennes. Puis, d'après les dires de Svengred, n'avait-elle pas été une des premières à calomnier Mitsi, à rappeler méchamment son origine maternelle qui, selon elle, vouait la fille d'Ilka Vrodno à la déchéance ?... En vérité, quel cœur avait-elle donc, cette aïeule, pour ne pas éprouver compassion et sympathie à l'égard de l'enfant charmante qui en était si complètement digne ?

« C'est une âme froide, vaniteuse, songeait M. de Tarlay. Et, cette Florine, en outre, exerce une mauvaise influence sur elle. Par jalousie, elle a dû la pousser contre Mitsi... Ah ! la misérable coquette que celle-là ! Et dire que le monde continuera de l'honorer, tandis que ma pauvre Mitsi, ma délicate petite hermine encourra le blâme et l'opprobre ! »

Il songeait ainsi, tour à tour dominé par la colère ou l'inquiétude harcelante que lui donnait l'état de la jeune fille. Vers 1 heure du matin, n'y tenant plus, voulant savoir s'il pouvait conserver quelque espoir, il s'en alla par la terrasse jusqu'à la chambre de Jacques.

A travers les rideaux de tulle léger qui tombaient devant les vitres des portes-fenêtres, on distinguait le petit lit blanc sur lequel était étendu l'enfant. Des fleurs jonchaient le drap garni de broderies, et plusieurs cierges, plantés en de hauts flambeaux d'argent, éclairaient le petit visage immobile. A droite du lit se tenait assise une religieuse qui égrenait son chapelet ; à gauche, Dorothy, étendue dans un fauteuil, dormait, d'ailleurs légèrement, car elle s'éveilla au bruit de la porte vitrée qu'ouvrait M. de Tarlay.

Christian s'approcha de son fils, le considéra un moment avec émotion, puis se tourna vers l'Anglaise, en demandant à mi-voix :

— Avez-vous des nouvelles de la malade ?

— Oui, monsieur le vicomte, Marthe est venue tout

à l'heure et m'a dit qu'une légère détente semblait se manifester.

Le cœur un peu allégé, Christian regagna son appartement et se jeta sur son lit, où il réussit bientôt à s'endormir. Quand il s'éveilla, 7 heures sonnaient. Comme il finissait de s'habiller, son valet de chambre vint le prévenir que Dorothy demandait à le voir. Selon l'ordre qu'il lui en avait donné dans la nuit, la gouvernante venait le tenir au courant de l'état de Mitsi. La détente s'était accentuée, la jeune fille reposait maintenant, fiévreuse encore, mais délivrée de l'oppression qui l'étouffait.

Un peu plus tard, le Dr Leroux constata cette amélioration pleine de promesses et put déclarer que sauf complications imprévues, la malade lui semblait sauvée.

Il parut aussitôt à Christian que lui-même recouvrait la vie. Peu après, il écrivit ces mots à Svengred :

Mitsi ne me sera pas enlevée par la mort, j'en ai maintenant le plus grand espoir. Mais cherche bien, mon ami, à obtenir la lumière sur ses origines, afin que je puisse faire d'elle une vicomtesse de Tarlay.

TROISIÈME PARTIE

1

Dix-neuf ans auparavant, Georges Douvres, au cours d'un voyage dans l'Europe centrale, s'était arrêté à Vienne qu'il ne connaissait pas encore. Son père, frère cadet de Jacques Douvres, était mort au printemps précédent, lui laissant une importante fortune en valeurs et celle plus considérable encore représentée par sa part dans les bénéfices toujours croissants de l'industrie pour l'établissement de laquelle les deux frères avaient apporté une part égale de leurs biens, et qui s'était développée grâce à leur travail, à leurs capacités particulières, plus accentuées chez l'aîné qui n'avait cessé d'être le véritable chef.

Georges, lui, n'avait aucun penchant pour suivre les traces de son père et de son oncle. Nature d'artiste, un peu indolente, un peu faible, mais bonne et généreuse, il aimait la flânerie, le travail fantaisiste, les voyages faits au gré de son caprice. Jacques Douvres n'avait pu obtenir qu'il succédât à son père. Et pour échapper à l'insistance de cet oncle qui lui inspirait une affection mêlée de crainte, le jeune homme était parti un beau jour pour l'Autriche en laissant un mot dans lequel il expliquait au maître de forges qu'il allait faire des études de caractères chez les différents peuples de l'Europe centrale.

En lisant cela, Jacques Douvres, levant ses puissantes épaules, murmura dédaigneusement :

— Le pauvre garçon ne sera jamais bon à rien, je le prévois !

A Vienne, Georges rencontra Flavien Parceuil qui s'y trouvait de passage pour traiter une affaire au nom du grand industriel dont il était devenu depuis peu l'homme de confiance. Ils se trouvèrent près l'un de l'autre, un soir, dans un petit théâtre qui venait de s'ouvrir peu de temps auparavant. Ce jour-là avaient lieu les débuts d'une danseuse hongroise, Ilka Vrodno. Dès qu'elle parut sur la scène, fine, élancée dans son costume national, Georges n'eut plus de regards que pour elle. Elle paraissait très jeune, avec un visage délicat, un peu ambré, aux yeux ardents et doux, au sourire discret, plein de charme un peu mélancolique. Sa beauté, sa grâce, en laquelle se mélangeaient la retenue et une séduction qui lui était naturelle, n'enthousiasmèrent pas moins les spectateurs que la façon dont elle exécuta les danses de son pays. Aussi étaient-ils nombreux ceux qui, à l'entracte, se précipitèrent vers les coulisses pour complimenter la jeune Hongroise.

Dans les premiers se trouvaient Parceuil et Georges Douvres. Ilka accueillit leurs compliments avec une réserve un peu fière, qui ne les découragea point, car ils se retrouvèrent encore là les jours suivants, empressés à offrir leurs hommages, accueillis avec le même air d'indifférence polie — ceux, du moins, de Parceuil, car dès le second jour, une lueur de plaisir avait paru dans les beaux yeux de la danseuse quand Georges était venu s'incliner devant elle.

Ilka était toujours accompagnée d'une femme âgée d'une soixantaine d'années, petite et corpulente, qui semblait veiller jalousement sur elle. Irène Blemki avait été une danseuse assez réputée et c'était elle qui, vieillie, alourdie par l'embonpoint, avait enseigné son art à Ilka. Elle logeait avec elle et la mère de celle-ci, toujours malade, dans un petit appartement meublé, assez proche du théâtre... Un soir, Parceuil les y suivit et déclara à la jeune fille sa passion. Il reçut une réponse hautaine, presque dédaigneuse. Et comme il insistait, Ilka dit à Irène, en tournant le dos à l'indiscret soupirant :

— Mets donc ce mal élevé dehors, ma chère amie.

Parceuil s'éloigna, le cœur gonflé de rage et de rancune. Il partait le lendemain, rappelé à Paris par Jacques Douvres dont la santé laissait à désirer. Georges ne le vit plus désormais parmi les admirateurs qui se pressaient chaque soir dans les coulisses du Printania-Théâtre. Lui, de plus en plus épris, ne manquait pas une représentation. Ilka l'accueillait maintenant avec un sourire nuancé d'émotion, avec un regard qui s'éclaircit de joie discrète. Il s'aperçut très vite qu'il plaisait à la jolie Hongroise — si courtisée, mais jusqu'alors insensible aux hommages les plus flatteurs; et lui aussi, un soir, il fit sa déclaration d'amour.

En quittant le théâtre, il avait demandé à Ilka l'autorisation de l'accompagner parce qu'il avait à lui parler. Elle avait acquiescé, après avoir, d'un regard, demandé conseil à Irène... Celle-ci marchait près de la jeune fille, comme un bon chien de garde. Ilka, dont le visage disparaissait à demi sous le voile de dentelle qui entourait sa tête, écoutait en silence les paroles brûlantes de Georges... Quand il se tut, elle se tourna un peu vers lui et dit d'une voix qui tremblait légèrement :

— Je crains que vous vous mépreniez sur moi, monsieur. Je suis une honnête fille et j'entends le rester.

Pris au dépourvu par ces paroles, par le ton plein de fière dignité, Georges balbutia :

— Mais, mademoiselle, croyez que mes intentions ne peuvent vous offenser...

— En ce cas venez demain chez moi. Je vous recevrai en présence de ma mère, et nous nous expliquerons. Au revoir.

Elle tendit au jeune homme sa petite main, sur laquelle il mit un baiser, et s'éloigna avec sa compagne.

Georges restait fort embarrassé. Il ne lui était pas venu à l'esprit que cette jeune danseuse, si réservée qu'elle fût, aurait de tels scrupules. Il pensa d'abord qu'elle agissait ainsi par habileté, pour donner plus de prix à son acquiescement. Mais il l'avait vue si peu coquette toujours, il avait cru discerner tant de droiture dans ces merveilleux yeux bruns dont la douceur charmante l'ensorcelait, qu'il ne s'attarda pas à cette idée.

Ilka, Georges en était persuadé, disait vrai en affirmant qu'elle était honnête et voulait le rester. Mais alors, que devait-elle espérer ?

Cependant, lui, descendant d'une famille de la haute bourgeoisie française, neveu de Jacques Douvres, qui était une des personnalités marquantes de l'époque, il ne pouvait épouser cette petite ballerine ! Le voulût-il même qu'il savait à l'avance que son oncle, intransigeant sur le chapitre des mésalliances, le renierait, romprait toutes relations avec lui, de même que les autres membres de sa famille.

Il passa une nuit fort agitée. Au matin, il avait pris la résolution de ne pas se rendre chez Ilka. Il lui écrivit un mot de regret en prétextant l'obligation d'un voyage subit... et il partit pour Carlsbad.

Là, pendant huit jours, il s'ennuya mortellement. Le souvenir d'Ilka le poursuivait sans relâche. Il revoyait son délicat visage, son sourire, doux et séduisant entre tous, le charme profond de ses yeux voilés de grands cils bruns... Et la séparation lui révéla quelles profondes racines cet amour avait déjà introduites en son cœur.

Le neuvième jour de son séjour à Carlsbad, au casino, il se trouva inopinément en face d'un attaché de l'ambassade française, M. d'Enfreville, qui s'était montré un des plus assidus à courtiser la jolie danseuse du Printania-Théâtre. Après un échange de paroles amicales, Georges demanda :

— Rien de nouveau, à Vienne ?

— Rien, sinon que la délicieuse étoile, l'incomparable Ilka a disparu de notre ciel.

Georges tressaillit et, pendant un moment, il lui parut que son cœur cessait de battre.

— Comment, disparue ? balbutia-t-il.

— Il y a six jours, sa mère est morte subitement. Depuis, Ilka, malade, n'a plus reparu au théâtre.

Georges retint un soupir de soulagement. Il avait craint que la jeune fille eût quitté Vienne, ou qu'il lui fût arrivé quelque accident, quelque aventure... Et tout à coup s'affirmait en lui, impérieusement, la résolution de la revoir, d'essayer, patiemment, de la conquérir. Les circonstances étaient favorables. Éloignée momentanément du théâtre, malade, toute meurtrie encore de la perte qu'elle venait de faire, Ilka, pensait-il, serait plus accessible à la voix tentatrice de l'amour, à la perspective d'une existence heureuse, comblée, telle que pourrait la lui offrir Georges Douvres.

Dès le lendemain, le jeune homme repartait pour Vienne. Deux heures après son arrivée, il se présentait chez Ilka Vrodno.

L'appartement qu'elle occupait était situé dans une maison de modeste, mais très convenable apparence. Au coup de sonnette de Georges, ce fut elle qui vint ouvrir. En le reconnaissant, elle eut un mouvement de surprise et murmura :

— Vous !

— Oui, moi, qui ai appris votre grand deuil et viens vous dire toute ma sympathie.

Le charmant visage pâli, amaigri, tressaillit un peu, et les yeux se remplirent de larmes :

— Oui, ma pauvre maman... Elle m'a été enlevée si vite !... Sa santé, depuis longtemps, était bien mauvaise, mais avec des soins j'espérais la conserver encore.

Elle ouvrit une porte et fit entrer Georges dans un banal petit salon de meublé bon marché. En ce décor médiocre, la beauté d'Ilka semblait plus fine encore, plus aristocratique... Une robe d'intérieur en lainage noir tombait en plis harmonieux autour de la taille souple, dont les moindres mouvements avaient tant de grâce. Les yeux, dans la figure amincie, recélaient plus de profondeur, plus de mystère. Des larmes y brillaient, et la bouche délicate avait un pli de souffrance.

— Je m'excuse de vous recevoir avec cette tristesse, monsieur. Mais je n'ai pu encore me reprendre à la vie...

Elle s'était assise près de la fenêtre, devant une petite table où se trouvait son ouvrage, en désignant à Georges un siège à quelques pas de là.

Il protesta :

— Je vous comprends trop bien !... En outre, vous avez été malade, m'a-t-on dit ?

— Oui, malade de chagrin... Je le suis encore.

Et, appuyant ses coudes à la table, cachant son visage entre ses mains, elle se mit à pleurer silencieusement, les épaules secouées de frissons.

En un mouvement impétueux, Georges se leva, s'agenouilla près d'elle et détacha, de ses doigts frémissants, l'une de ces petites mains brûlantes :

— Ilka, permettez-moi de partager votre peine, de vous en consoler, peu à peu, par ma tendresse, par mon dévouement, que je vous offre... que je vous supplie d'accepter.

Les yeux brillants de larmes s'arrêtèrent sur ce visage palpitant de passion, rencontrèrent ce regard amoureux qui priait, qui impliait... Un flot de sang monta au teint de la jeune fille, dont les paupières tremblantes s'abaissèrent un instant. Et, presque aussitôt, en se redressant d'un mouvement plein de dignité, en retirant sa main d'entre les doigts de Georges, Ilka demanda fièrement :

— Comment entendez-vous cela, monsieur ?

Brusquement, l'âme de Georges se sentit emportée par le respect, par le remords, la honte presque d'avoir eu la pensée odieuse de profiter de la détresse morale en laquelle se trouvait cette orpheline, privée de la protection maternelle. Il s'écria ardemment :

— Je vous demande d'accepter, avec mon amour, mon nom et tout ce que je possède, Ilka, ma bien-aimée.

Un rayon de bonheur transfigura la physionomie de la jeune fille. Avec une spontanéité charmante, Ilka tendit sa main à Georges et dit avec émotion :

— Eh bien, j'accepte, car je crois à votre sincérité, à votre bonté.

Mais, tandis qu'il couvrait de baisers les petits doigts un peu brûlants de fièvre, la jeune Hongroise objecta, d'un ton où tremblait quelque inquiétude :

— Croyez-vous que votre famille acceptera cette union avec une simple petite danseuse comme moi ?

Instantanément, Georges évoqua le visage énergique et quelque peu hautain de son oncle... Il crut entendre sa voix lente prononcer, avec l'accent du plus profond dédain :

— Moi, permettre que tu introduises cette ballerine dans notre famille qui n'a jamais connu pareille mésalliance ? Tu ne sais donc pas encore qui je suis, mon garçon !

Mais le jeune homme ne s'arrêta pas à cette pensée. Il répondit vivement :

— Ne craignez rien, je suis orphelin, libre de ma personne et de ma fortune. Vous pouvez sans scrupule devenir ma femme, chère, bien chère Ilka.

— Avant de nous engager, il me faut auparavant vous parler de ma famille, vous raconter ma triste histoire.

Elle lui apprit alors que sa mère appartenait à une noble et ancienne famille roumaine. Rompant avec toutes les traditions de sa race, Hélène Damaresco, contre le gré des siens, avait épousé un ennemi, un Hongrois, Elek Drovno, jeune musicien d'une beauté remarquable, d'origine honorable mais obscure. Son père la maudit, sa mère, de santé délicate, mourut de ce chagrin. Quant à la jeune femme, elle ne cessa d'être poursuivie par le remords, et lorsque Elek mourut, quatre ans plus tard, tué par un lourd tombereau qui lui passa sur le corps, elle vit là une punition du ciel pour sa désobéissance aux ordres paternels. Longtemps malade à la suite de ce terrible choc moral, elle ne devait jamais recouvrer complètement la santé. En outre, son cerveau restait irrémédiablement affaibli. Elle laissa donc Irène Blemki, cousine éloignée de son mari, s'occuper de la petite Ilka, alors âgée de trois ans. La danseuse était d'ailleurs une excellente personne, demeurée fort honnête parmi les écueils de sa profession. Très attachée à Hélène et à l'enfant, que la mort du père laissait dans la misère, elle s'ingénia à les faire vivre sur son maigre gain. Quand elle dut quitter le théâtre, quelques années plus tard, elle donna des leçons de danse et ainsi, péniblement, elle réussit à leur procurer le pain quotidien.

De bonne heure, Irène, voyant la grâce, la légèreté de la petite Ilka, lui avait appris son art. Quand l'enfant fut devenue jeune fille, la bonne Irène, ravie de sa beauté, comme du succès de ses leçons, ne trouva rien de mieux que de la faire engager au Printania-Théâtre, dont le directeur cherchait de bonnes débutantes. Mme Drovno était incapable de s'y opposer. Ilka, très inexpérimentée sur la vie, ressentait néanmoins une secrète répugnance. Mais elle voyait sa mère de plus en plus malade, Irène qui vieillissait, qui se fatiguait; chaque jour la vie matérielle devenait plus difficile pour ces trois pauvres femmes. Ilka se décida enfin à débuter au Printania-Théâtre, où l'attendait un succès dû autant à sa beauté qu'à la perfection de son art... Mais ainsi qu'elle le confia à Georges, elle était décidée depuis la mort de sa mère à renoncer au théâtre dont l'atmosphère, les dangers effrayaient son âme pure.

Georges, lui, parla de ses parents, de sa situation dans le monde, en passant légèrement sur la personnalité de son oncle, qui jetait une ombre fâcheuse sur sa joie d'amoureux enivré par la présence de la bien-aimée... Sur ces entrefaites apparut Irène qui, après avoir froncé avec courroux ses gros sourcils blonds, en voyant le jeune Français près d'Ilka, faillit danser de joie quand elle connut leurs fiançailles.

Deux jours plus tard, tous trois partaient pour un petit village de Hongrie qui était le lieu de naissance du père d'Ilka. Georges, désireux que son oncle connût le plus tard possible l'union qui l'irriterait et le peinerait si fort, avait témoigné le désir que la cérémonie nuptiale n'eût pas lieu à Vienne. Entendant parler par Irène de ce village de Liatzen, où elle-même avait passé son enfance, il avait proposé aussitôt : « Pourquoi ne nous marierions-nous pas là, au berceau de votre famille paternelle ? » Et Ilka avait acquiescé aussitôt.

Georges laissait à Vienne son valet de chambre, avec un congé temporaire. Il demeura trois mois à Laitzen, dans le petit chalet loué à son arrivée. Grisé par son bonheur, il oubliait tout, éloignait toutes les pensées d'avenir. Ilka, elle, était pleinement heureuse. Elle se savait dûment mariée selon les lois de son pays et ne se doutait pas que son union, non légalisée par le représentant de la France, ne serait pas reconnue dans le pays de son mari. Georges le savait, lui, mais il se disait : « Plus tard, j'arrangerai cela... Après tout nous sommes légitimement unis, et il me suffira de faire mon testament en faveur de l'enfant que nous attendons, pour que ma fortune lui revienne. »

Les trois mois écoulés, au début de l'automne, les deux époux et Irène regagnèrent Vienne. Georges loua dans un des faubourgs de la ville une grande maison entourée d'un parc et s'y installa avec sa femme, dont il était de plus en plus épris. Il fit venir son valet de chambre qui, avec deux femmes, composa le personnel domestique du logis. Et l'existence des deux jeunes gens continua de couler, paisible, heureuse, dans une solitude que personne ne venait rompre, car Georges n'avait pas cherché à renouer de relations et même s'arrangeait pour éviter de rencontrer d'anciennes connaissances, car, par une faiblesse qu'il se reprochait à certains moments, il ne se souciait pas qu'on connût son union avec la jolie danseuse du Printania-Théâtre, la fille d'Elek Drovno dont les ascendants étaient d'honorables paysans hongrois.

Cependant Parceuil, au cours d'un nouveau séjour d'affaires qu'il fit à Vienne cet hiver-là, découvrit ce qu'il croyait une banale intrigue sentimentale. Jacques Douvres, étonné et inquiet de voir son neveu s'éterniser dans la capitale autrichienne, en prétextant des études littéraires, avait chargé son secrétaire, devenu par flatterie son confident, de s'enquérir au sujet du véritable motif qui retenait là le jeune homme dont il connaissait le caractère impulsif et parfois imprudent. Parceuil mena son enquête avec discrétion, sans que Georges soupçonnât sa présence. Et il rapporta à M. Douvres cette nouvelle que son neveu vivait à Vienne, très retiré, avec une danseuse fort jolie qui allait le rendre père au printemps prochain.

De mariage, il ne parla pas, pour la bonne raison qu'il l'ignorait d'abord; ensuite, l'eût-il su, qu'il se fût gardé de l'apprendre au vieillard. Flavien Parceuil était un homme prudent, qui ne parlait qu'après de solides réflexions, lesquelles, en l'occurrence, lui auraient montré l'intérêt de garder par-devers soi une telle révélation.

Jacques Douvres s'emporta, déclara qu'il allait écrire à cet imbécile de réintégrer Paris, et l'hôtel familial où il avait son appartement. L'habile Parceuil sut l'exciter plus encore contre le coupable, tout en ayant l'air de prendre la défense de celui-ci. Le résultat fut un ultimatum envoyé par l'autoritaire vieillard à son neveu : « Ou tu planteras là ta danseuse et tu reviendras ici dans les huit jours, ou toutes relations seront à l'avenir rompues entre nous. »

M. Douvres escomptait le caractère faible de Georges, la crainte mêlée d'affection qu'il avait toujours eue à l'égard de son oncle, et cet attachement aux liens familiaux, très puissants chez les Douvres... De fait, cette lettre troubla profondément le jeune homme. Il n'en dit mot à Ilka, mais eut à partir de ce moment quelques accès d'humeur sombre qui étonnèrent et inquiétèrent sa femme.

— Je n'ai rien, répondait-il à ses questions tendres. Ne te tourmente pas, je suis très heureux près de toi.

Il retardait la réponse qu'il devait faire à son oncle... Tant et si bien qu'il n'avait pas écrit encore quand un soir de la fin de février, le feu prit à son logis par l'imprudence d'une des femmes de service. Quand on s'en aperçut, l'escalier brûlait déjà. Avec l'aide de voisins accourus aux cris d'alarme, Georges réussit à sauver par une fenêtre sa femme, Irène et les deux servantes. Mais tandis que lui-même descendait à son tour, le drap noué à la fenêtre se détacha et le malheureux tomba sur le pavé de la cour. On le releva le crâne fracturé. Comme son valet de chambre, qui logeait au rez-de-chaussée et avait pu de ce fait sortir facilement, se penchait vers lui, le moribond murmura ces mots : « Mon enfant... ma femme... Dites à mon oncle... lui confie... »

Quelques instants après, il entrait dans le coma et mourut le soir de ce même jour.

Ilka avait été transportée dans le pavillon destiné au concierge de la villa et qui se trouvait inhabité. Elle y donna prématurément le jour à une petite fille et fut pendant plusieurs jours entre la vie et la mort. La pauvre Irène, affolée par tous ces événements, ne savait plus que devenir. Ce fut le valet de chambre qui prit sur lui de télégraphier à M. Douvres, pour lui annoncer la mort de son neveu.

Le maître de forges, à ce moment fort malade, délégua Parceuil en son lieu et place, avec ordre de régler au mieux la situation, c'est-à-dire de chasser la danseuse si elle se trouvait près du défunt et de prendre toutes mesures utiles pour éviter un scandale.

Parceuil frémissait de joie, en recevant cette mission. Enfin, il allait donc pouvoir se venger de cette Ilka qui l'avait repoussé naguère — avec quelle hauteur !

En arrivant à Vienne, il se rendit aussitôt à la demeure de Georges Douvres. Le défunt reposait dans une pièce du rez-de-chaussée, sur un petit lit autour duquel brûlaient des cierges... Après s'être incliné devant lui, Parceuil s'informa près du valet

de chambre qui l'avait introduit si « Mlle Drovno »
était dans cette maison.

L'autre répondit affirmativement, en ajoutant :

— Elle a mis au monde hier une petite fille, et elle
est très mal... Mais je dois informer monsieur qu'ici,
elle se faisait toujours appeler Mme Douvres.

Parceuil ricana :

— Naturellement ! Ça ne doute de rien... Mais je
vais remettre les choses au point... Est-elle vraiment
trop malade pour me recevoir ?

— Oh ! certainement, monsieur. Mais il y a près
d'elle Mlle Irène, sa parente... Si Monsieur voulait la
voir ?

— Eh bien, envoyez-la-moi !

Quelques instants plus tard, dans la pièce voisine
de la chambre mortuaire, Irène entrait et se trouvait
en face de Parceuil qui, froidement, après un bref
salut, déclarait :

— Je dois vous informer, mademoiselle, que, d'après
les instructions de M. Douvres, Mlle Ilka Drovno
doit quitter ces lieux sur l'heure — ou tout au moins,
s'il y a impossibilité matérielle absolue, dès qu'elle se
trouvera transportable.

Irène, devant cet ultimatum, resta un moment sans
parole. Enfin, elle balbutia :

— Quitter ces lieux ?... Pourquoi ?

— Parce que M. Douvres, oncle du défunt, est
désormais le maître ici, et qu'il ne tolérera pas le
scandale de cette... personne continuant de vivre en
ce logis, payé par Georges Douvres.

— Le scandale ?... Comment ?... Mais Ilka est la
femme de Georges !

Ce fut au tour de Parceuil de sursauter. La voix un
peu rauque, il répéta :

— Sa femme ?... Que dites-vous ?

— Mais oui, sa femme ! Ils ont été mariés l'été dernier, dans l'église du village de Laitzen, en Hongrie...

Ilka, monsieur, n'était pas une personne à accepter autre chose qu'une situation honorable et régulière !

Déjà Parceuil s'était ressaisi. Il dit d'un ton sarcastique :

— Vous me permettez d'éprouver quelque scepticisme à ce sujet... Avez-vous des preuves à me présenter ?

— Des preuves ?

— Oui, des papiers, un acte de mariage ?

— Georges devait en avoir, mais tout a été brûlé. Vous n'avez qu'à écrire au curé de Laitzen, il vous enverra copie de l'acte inscrit sur son registre.

— Cela ne signifie rien. Il faut que ce mariage ait été enregistré au consulat de France. L'a-t-il été ?

Irène ouvrit de grands yeux :

— Je l'ignore !

— Bien. Je m'informerai. S'il n'en est rien, une telle union est sans valeur dans notre pays, et M. Douvres, pas plus que la loi française, ne la reconnaîtront. L'enfant de Mlle Drovno n'aurait en ce cas droit à rien sur la succession de Georges et ne porterait pas légalement son nom en France.

La pauvre Irène joignit les mains :

— Seigneur, que me racontez-vous là ?... Ilka se croyait cependant bien mariée !

— Peut-être dans votre pays, mais pas en France... Au reste, je vais prendre mes informations.

Et, quittant la pièce, il s'en alla sur l'heure au consulat où l'appelaient d'ailleurs les formalités nécessitées par le décès de Georges. Là, il acquit la certitude que ce mariage, en admettant qu'il eût été réellement célébré au village de Laitzen, n'avait pas été légalisé par le représentant de la France.

Une joie féroce bouillonnait en lui, tandis qu'il regagnait son hôtel. Enfin, il tenait une belle vengeance !... Aussitôt arrivé, il écrivit une longue lettre à l'adresse de Mme Debrennes, puis une autre à Jacques Douvres, dans laquelle il lui disait qu'Ilka Drovno étant très mal, il avait dû surseoir à son expulsion.

Dès le lendemain matin, il retournait à la maison mortuaire, faisait appeler Irène et lui déclarait que, ainsi qu'il le pensait bien, Mlle Drovno et son enfant n'avaient aucun droit au nom et à la fortune de Georges Douvres. Il engageait donc ladite demoiselle à ne pas élever de contestation à ce sujet et à quitter cette demeure sans tapage, dès qu'il lui serait possible de le faire.

Irène était une âme simple, un esprit ignorant et crédule. Elle ne s'éleva pas contre ces déclarations, faites sur un ton catégorique et tranchant qui lui coupait tout raisonnement. Mais elle supplia Parceuil d'avoir pitié de la malheureuse jeune femme et de la petite créature qui allaient rester sans ressources.

L'autre fit le bon prince, déclara qu'il parlerait à M. Douvres pour obtenir de lui un secours pécuniaire... Et la naïve Irène, dans sa reconnaissance, faillit lui baiser les mains.

Les obsèques de Georges eurent lieu le surlendemain. M. Douvres avait écrit à son secrétaire : « Demeurez là-bas pour régler tout, faites partir cette femme en lui donnant une somme d'argent, si vous le jugez nécessaire ». Parceuil ne lui avait pas soufflé mot de la question mariage. Il avait une correspondance quotidienne avec la présidente et se plongeait en d'absorbantes méditations. Firmin, le valet de chambre de Georges, demeuré au pavillon où logeait encore Ilka, venait chaque jour, sur son ordre, lui apporter des nouvelles de la jeune femme. Un matin, il lui apprit qu'elle se trouvait un peu mieux depuis la veille et demandait à le voir.

Irène avait répété à Ilka l'entretien qu'elle avait

eu avec le mandataire de M. Douvres. D'abord accablée, la veuve, nature énergique, s'était redressée aussitôt, en déclarant :

— Eh bien, moi, j'affirme que mon enfant y a droit, à ce nom et à cette fortune. Nous sommes mariés légitimement, et si l'oncle de mon pauvre Georges est l'homme probe et loyal qu'il m'a dépeint, il le reconnaîtra lui-même, quelle que puisse être la non-légalité de notre union au point de vue français.

Ces paroles, elle les répéta à Parceuil, quand il fut devant elle. Il répliqua :

— Je puis vous affirmer que vous vous leurrez au sujet de M. Douvres. Jamais, il n'acceptera de reconnaître un mariage qui est à ses yeux la pire mésalliance.

Elle dit amèrement :

— Pourquoi ?... Parce que j'ai exercé — bien peu de temps — la profession de danseuse ? J'y suis restée irréprochable, cependant, et je ne crains pas les informations que M. Douvres pourra faire prendre à ce sujet... Au reste, je lui écrirai, dès que je serai un peu moins faible. Il jugera, en son âme et conscience, de la justice de ma cause.

Parceuil riposta froidement :

— Vous êtes libre de le faire, mais je vous assure que vous prendrez là une peine inutile.

Après un bref salut, il quitta la chambre d'Ilka. Si celle-ci, à ce moment-là, avait pu voir son regard, elle y aurait lu avec épouvante la plus terrible menace.

A la porte de la maison, Parceuil rencontra le valet de chambre. Cet homme, fiancé à une jeune Suissesse en service à Lausanne, se préparait à partir pour la Vendée, sa province natale, où il avait quelques affaires de famille à régler... Parceuil s'informa :

— C'est pour quand, ce départ ?

162

— Ce soir, monsieur. Je passerai une dizaine de jour là-bas; puis j'irai à Paris pour prendre des effets que j'ai laissés dans ma chambre, chez M. Douvres, et pour dire adieu aux camarades.

Parceuil eut un léger froncement de sourcils.

— Ah! vous irez à l'hôtel Douvres?

Puis, après une courte hésitation, il ajouta en baissant la voix :

— Vous êtes un garçon sérieux, dont, je le sais, ce pauvre M. Georges appréciait fort la discrétion... Eh bien! je vous demanderai de ne dire mot aux autres domestiques de la... personne avec qui vivait votre maître. Il est inutile d'ébruiter cette histoire pénible pour la famille, et particulièrement pour M. Douvres, surtout en l'état de santé qui est le sien actuellement.

— Certainement, je serai muet, monsieur... Mais peut-être est-elle bien réellement la femme de M. Georges, après tout.

— Votre maître vous l'a-t-il jamais désignée comme telle, Firmin, autrement qu'à l'instant de sa mort, comme vous me l'avez rapporté?

— Non, jamais, monsieur.

— Il n'avait pourtant aucune raison pour ne pas le faire, car il était entièrement indépendant et libre de contracter le mariage qui lui convenait.

Firmin était un excellent garçon, l'honnêteté même, mais d'esprit assez borné pour tout ce qui ne concernait pas son service. Ce raisonnement de Parceuil, accompagné d'autres destinées à faire servir cet homme au but poursuivi par le fourbe, pénétra en la cervelle du valet. Celui-ci, lorsque son interlocuteur s'éloigna, demeurait persuadé que son maître s'était caché en cette solitude parce que, incapable de résister à sa passion pour l'ex-danseuse, il ne voulait pas néanmoins qu'il y eût scandale sur le nom de Douvres.

Parceuil écrivit ce soir-là à la présidente :

Je suis en pleine action. Pour le moment, inutile de vous en dire davantage... Si par hasard je n'étais pas rentré à Paris quand Firmin y passera, tâchez qu'il ne voie pas M. Douvres, ou, si c'est chose impossible, arrangez-vous pour assister à l'entretien et diriger celui-ci selon nos intérêts. D'ailleurs, je vous écrirai d'ici là, en vous donnant les explications nécessaires.

Deux jours plus tard, en entrant au matin dans la chambre d'Ilka, Irène trouva la jeune femme morte. Le médecin, appelé, constata qu'elle avait été étouffée, sans doute à l'aide de ses oreillers, qu'on trouva gisant près du lit. Irène, qui couchait avec la petite Mitsi dans la pièce voisine, mais avec la porte de communication fermée pour que la malade ne fût pas dérangée par les pleurs de l'enfant, n'avait rien entendu d'anormal. La grille d'entrée, ainsi que le révéla un examen attentif, avait dû être ouverte à l'aide de fausses clés, puis le malfaiteur avait pénétré dans le pavillon par une fenêtre du rez-de-chaussée dépourvue de contrevents.

Deux fort belles bagues que portait au doigt la jeune femme avaient disparu. Les meubles, qui ne renfermaient à peu près rien, avaient été visiblement fouillés... L'affaire apparut comme rentrant dans la catégorie du crime banal, commis pour le vol. Telle fut l'opinion émise par le magistrat instructeur devant M. Flavien Parceuil, qui arriva au moment ou les représentants de la justice terminaient l'examen du logis de la victime.

— J'ai appris le drame tout à l'heure, par un journal, expliqua Parceuil. Il y a deux jours, j'avais vu cette malheureuse femme, qui a été bien néfaste à mon jeune parent, Georges Douvres, mais à laquelle néanmoins j'avais offert une somme considérable pour sa fille, au nom de l'oncle du défunt. Précisément, l'accord s'étant fait entre nous, je devais la lui apporter aujourd'hui... Et j'apprends cela... C'est vraiment affreux !

Le magistrat n'avait aucune raison de suspecter les dires de cet étranger, représentant d'une personnalité française telle que l'était l'opulent maître de forges. Il s'offrit aimablement à le tenir au courant de l'enquête, ce dont l'autre le remercia avec affabilité. Puis, prenant congé de lui, Parceuil alla frapper à la porte de la chambre où Irène, à demi folle de douleur, pleurait en berçant la petite fille.

Prenant une chaise sans attendre qu'elle l'y invitât, il s'assit en face d'elle et lui demanda à brûle-pourpoint :

— Eh bien, qu'allez-vous faire maintenant, mademoiselle Irène ?

La pauvre fille le regarda, d'un air à demi hébété, sans répondre.

— Oui, qu'allez-vous faire pour vivre, avec cette petite fille ?

Elle bégaya :

— Je... ne sais pas.

— Il faut y penser pourtant... Avez-vous quelques ressources ?

— Non... rien.

— Alors ?

— Je n'ai rien... rien ! répéta-t-elle avec accablement.

— Il ne faut pourtant pas que cette enfant meure de faim... ni vous non plus, d'ailleurs.

— Oh ! moi !... moi, peu importe ! Mais elle... elle, ma petite... ma pauvre petite !

Elle pressait contre elle l'enfant, qui ouvrait ses beaux yeux bruns semblables à ceux de sa mère.

— Écoutez, il y aurait un moyen de remédier à cette triste situation... Je suis certain que M. Douvres, par bonté, par charité, acceptera d'assurer de façon honorable l'avenir de cette enfant, à condition de la faire élever sous son contrôle, dans un milieu choisi par lui... En un mot, vous devriez la lui abandonner, vous engager à ne plus la revoir, à ne vous prévaloir jamais des liens de parenté, d'ailleurs très légers, qui existent entre vous. M. Douvres, pour vous dédommager de ce sacrifice, ne regarderait pas à vous servir une rente suffisante pour vous faire vivre... à la campagne par exemple.

Irène écoutait ce discours sans bien comprendre d'abord... Et puis, ce fut une protestation véhémente, accompagnée de larmes, de baisers donnés à la petite créature qui, à son tour, se mit à crier... Parceuil laissa passer tout ce bruit avec un calme imperturbable. Puis il entama un nouveau discours pour bien pénétrer Irène de cette vérité : elle ne pouvait faire vivre l'enfant; alors, voulait-elle donc la condamner à mort ?

Il développa ce sujet avec ampleur, fit du sentiment — il en était capable quand son intérêt l'exigeait — parla de la morte qui, de là-haut, jugerait sévèrement celle dont l'obstination aurait privé sa fille d'un avenir assuré, heureux. Cet avenir, Parceuil le décrivit à la pauvre femme crédule sous les couleurs les plus riantes. Il fit briller devant ses yeux naïfs le luxe des résidences de M. Douvres et l'ahurit par le chiffre de sa fortune, jeté négligemment dans l'entretien... Si bien qu'Irène, complètement conquise aux idées de son interlocuteur, déclara que pour rien au monde elle ne voudrait priver sa petite Mitsi des félicités qui l'attendaient. Elle se retirerait donc au village de Laitzen, et M. Parceuil emmènerait l'enfant.

Sans trop de peine, l'habile homme lui persuada que mieux valait accomplir dès maintenant le sacrifice. Elle dirait donc aux magistrats que, rendue malade par la fin tragique de sa jeune parente et incapable de demeurer en ces lieux dont elle avait horreur, elle allait se rendre à Laitzen où on la trouverait si les nécessités de l'instruction exigeaient sa présence. Et elle expliquerait également que, ne pouvant faire vivre la fille de la défunte, elle avait accepté la proposition de l'honorable M. Parceuil, qui, charitablement, avait offert de se charger de l'enfant.

Avant de la quitter, Parceuil lui fit jurer de ne jamais parler à quiconque des liens qui avaient uni Georges à Ilka ni de l'aide que M. Douvres donnait à la fille de son neveu.

— Si vous manquiez à votre serment, ajouta-t-il, M. Douvres retirerait sa protection à l'enfant et vous replongerait toutes deux dans la misère.

Irène protesta qu'elle serait muette, et Parceuil la quitta enchanté de lui-même, qui avait mené l'affaire en véritable diplomate.

Six jours plus tard, il débarquait à Paris avec une jeune servante viennoise qui portait la petite Mitsi. Ayant pris un fiacre, il se fit conduire avec sa compagne à un hôtel voisin de la gare où il avait donné rendez-vous à la présidente. Là, après un assez long entretien avec celle-ci, il la laissa s'occuper de la servante et de l'enfant, tandis que lui gagnait l'hôtel Douvres.

L'état du maître de forges s'était aggravé, depuis quelques jours. Parceuil fut frappé du changement physique qui s'était fait en lui... Mais il avait gardé toute la lucidité de son esprit, comme s'en convainquit son secrétaire devant ses interrogations relatives aux événements qui s'étaient passés à Vienne.

Parceuil était un homme trop habile pour cacher de la vérité ce qui pouvait arriver aux oreilles du vieillard. Il répéta donc à celui-ci les paroles du mourant, rapportées par le valet de chambre, il lui fit part des prétentions émises par la défunte Ilka au sujet de son union légitime avec Georges... mais il ajouta qu'à la suite d'une enquête sérieuse, il avait acquis la certitude absolue que les assertions de l'ex-danseuse étaient absolument fausses.

Ensuite, désireux de renseigner complètement M. Douvres sur cette femme, il s'était enquis d'elle, de sa vie antérieure, et avait recueilli à ce sujet les plus accablants témoignages. Ilka, bien que se disant de bonne famille par son père, appartenait en réalité au plus triste milieu et n'était qu'une créature déchue, vivant dans le vice, capable de tout pour arriver à la fortune, assuraient des gens qui la connaissaient bien.

Toutefois, Parceuil devait à la vérité d'ajouter que, depuis qu'elle vivait avec Georges, nul n'avait entendu dire qu'elle eût donné prise à la critique.

Le rusé personnage introduisait cette restriction dans son odieux mensonge par la crainte que M. Douvres, au cas où il interrogerait Firmin, apprît de lui que la jeune femme menait l'existence la plus correcte, la plus retirée qu'il fût possible d'imaginer.

Parceuil voyait là, en outre, le moyen d'expliquer sa manière d'agir à l'égard de l'enfant, dont il s'était assuré en réalité pour la tenir toujours sous sa coupe, et prévenir des revendications qui eussent été possibles, si l'orpheline avait connu la vérité de la bouche d'Irène.

Ce motif-là ne pouvait être donné à M. Douvres. Mais Parceuil n'était pas à court d'imagination et connaissait bien son homme. D'un ton plein de componction, il déclara qu'il s'était senti pris de pitié devant cette enfant, vouée à la misère, au vice, sous la direction de cette Irène, peu recommandable – pauvre Irène ! – et qu'il avait cru bien faire, connaissant le grand cœur, l'admirable charité de

M. Douvres, de l'enlever à un pareil milieu pour essayer d'en faire une honnête fille.

Tout d'abord, le maître de forges se récria, indigné. Quoi, lui, s'intéresser à la fille de cette créature?... Mais Flavien était fou, positivement fou, d'avoir imaginé cela !

Parceuil ne se troubla pas. Imperturbablement, il développa sa pensée. Il y avait là une bonne œuvre à faire, une œuvre dont lui, Parceuil, enlèverait tout le souci à M. Douvres, en s'occupant de faire mettre en nourrice la petite fille, et plus tard de lui faire donner une éducation modeste, en rapport avec son humble origine maternelle. Peut-être, en agissant ainsi, pourrait-on combattre les mauvais instincts, la triste hérédité morale qui devaient exister en cette petite âme.

Toutefois, si M. Douvres jugeait qu'il avait agi à tort, il renverrait l'enfant à Irène, et tout serait dit.

Ce discours, où Parceuil introduisait avec adresse les flatteries qu'il savait souveraines sur l'esprit de son interlocuteur, impressionna le maître de forges, âme généreuse, très droite, mais dont le jugement était malheureusement parfois obscurci par l'orgueil. Après réflexion, il déclara :

— Vous avez bien fait, mon ami. C'est en effet une œuvre de charité, pénible, très pénible, je l'avoue... et peut-être inutile, si la fille doit plus tard suivre les traces de la mère. Enfin, peu importe ! J'aurai du moins fait le nécessaire pour la sauver, cette malheureuse qui a dans les veines du sang des Douvres... Mais je ne veux plus en entendre parler, Flavien ! Arrangez-vous pour elle comme vous l'entendrez, demandez-moi les sommes nécessaires... mais pas un mot d'elle !

— Soyez sans crainte, monsieur, je me charge de tout... Quant à cette Irène, qui faisait des façons pour me laisser la petite, j'ai dû lui donner une somme pour avoir la paix. Sa soi-disant tendresse n'a pas résisté devant cette compensation-là.

M. Douvres dit avec mépris :

— Quel monde !... Et c'est là qu'est allé se fourvoyer mon pauvre Georges !... Mais ici encore, vous avez bien fait, Parceuil. Combien, la somme ?

— Elle demandait vingt mille; j'ai transigé à dix mille. Elle a sauté dessus, trop heureuse, la coquine.

— Peste ! Je le pense ! On voit qu'elle savait s'adresser au mandataire de Jacques Douvres, pour être si gourmande... Enfin, je n'aurai du moins rien à me reprocher, à l'égard de cette enfant... Et à vous, mon bon Parceuil, je dis merci, pour tant de soucis et de démarches, pour tout le dévouement que vous me prouvez chaque jour.

Quand Parceuil sortit un peu plus tard de l'hôtel Douvres, il rayonnait de joie. Toute la combinaison marchait à souhait, il était de plus en plus en faveur près de Jacques Douvres... Et comme les petits intérêts pécuniaires ne sont pas à négliger, il avait réussi à faire passer le plus facilement du monde l'histoire des dix mille francs, qui lui fourniraient en partie la très modeste rente promise à la pauvre Irène.

Le lendemain, la servante autrichienne renvoyée, Mme Debrennes partait pour la Normandie, emportant Mitsi qu'elle confiait à une nourrice dont elle s'était préalablement enquise, dès que Parceuil lui avait fait part de son intention.

Deux jours plus tard, Firmin arrivait à Paris et se présentait à l'hôtel Douvres. Comme l'avait prévu Parceuil, M. Douvres, informé de sa présence par son valet de chambre, voulut le voir. Depuis la veille, le maître de forges était beaucoup plus mal, et les médecins faisaient craindre une assez proche issue fatale... Parceuil s'était arrangé pour se trouver là. Mais il vit avec déplaisir entrer Louis Debrennes, le gendre du malade, au moment où celui-ci, d'une voix étouffée par l'oppression, posait quelques questions à Firmin.

Le valet répéta les dernières paroles de son maître, déclara que la jeune femme était bonne, douce, des plus correctes, et pas le moins du monde vulgaire, bien au contraire... Monsieur et elle vivaient en bonne intelligence et semblaient s'aimer beaucoup.

Comme, à ce moment, le malade eut une violente suffocation, Parceuil en profita pour éloigner le valet. Après cette nouvelle crise, les idées de M. Douvres s'obscurcirent et bientôt il entra dans le coma. Au cours de la nuit, il avait cessé de vivre.

Tout s'arrangeait au mieux pour les deux complices. Le petit Christian, qui venait d'avoir huit ans, héritait à la fois de son grand-père et de son oncle. Louis Debrennes succédait au défunt dans l'administration des forges, mais Parceuil prévoyait que bientôt il supplanterait cet homme doux et paisible, de santé frêle, qui n'avait en lui rien des qualités nécessaires à un grand chef d'industrie. Bien que, dans la parfaite honnêteté de sa conscience, il eût témoigné quelque crainte au sujet du bien-fondé des renseignements recueillis par son parent; bien qu'il se fût demandé avec quelque angoisse si, réellement, Ilka Drovno n'avait pas été la femme de Georges, Louis n'inquiétait de ce fait ni sa mère ni Parceuil, qui savaient pouvoir circonvenir facilement cette nature faible, ce cerveau rendu indolent par le lent dépérissement du corps... Et Parceuil, triomphant, put jouir des fruits de son crime. Il avait son appartement à l'hôtel Douvres et à Rivalles, il vivait dans le luxe, il était un personnage bien accueilli partout. Venu pauvre près de Jacques Douvres, il mettait peu à peu de côté de grosses sommes qui représentaient beaucoup plus que son traitement annuel, quelque considérable que fût celui-ci... En outre, son âme basse, mauvaise, vindicative, se complaisait dans la pensée de la terrible vengeance qu'il avait tirée de la pauvre Ilka. Parfois, en évoquant le jeune et délicieux visage, les yeux profonds, si ardents et si doux de celle qui l'avait repoussé avec tant de fier mépris, il songeait avec une joie féroce : « Ah ! j'ai eu le dernier mot, belle Ilka ! Ta fille, qui devait avoir les millions de son père, nous en ferons une servante... et si je puis lui causer quelque tort, je n'y manquerai pas, en souvenir de toi ! »

2

Telle était la triste et dramatique histoire des parents de Mitsi, telle était la vérité qui, peu à peu, dans ses grandes lignes, se révélait à Olaüs Svengred.

Ainsi que l'avait prévu M. de Tarlay, le Suédois trouvait une aide précieuse chez le beau-frère de Christian. Le comte Vedenitch, bon garçon, joyeux vivant, très généreux, s'était fait beaucoup d'amis dans tous les mondes. Parmi eux se trouvait un ancien policier, Habner, dont le flair demeurait légendaire dans la corporation et qui, retiré aux environs de Vienne à la suite de grands chagrins intimes, consentit néanmoins à s'occuper de cette affaire par complaisance pour le comte, dont il avait reçu naguère un grand service.

Doué d'une prodigieuse mémoire, il se souvint aussitôt d'avoir vu le nom d'Ilka Drovno sur les affiches du Printania-Théâtre et d'avoir assisté à l'une des représentations. Il décrivit la jolie danseuse hongroise, qui avait fait grande impression sur lui, tout jeune homme à cette époque. Et Svengred, en l'écoutant, songeait avec émotion : « C'est Mitsi qu'il me dépeint là, vraiment ! »

Entrant aussitôt en campagne, Habner eut vite fait d'acquérir la certitude qu'aucune critique ne pouvait être faite sur la vie d'Ilka avant son mariage. Il en reçut l'assurance de plusieurs sources et entre autres de la personne chez qui la jeune danseuse avait loué un appartement.

Cette dame, d'une parfaite honorabilité, apprit au policier qu'Ilka Drovno vivait ici avec sa mère et une parente, Mlle Irène Blemki. Mme Drovno étant morte, la jeune fille et Irène étaient parties peu après, pour la campagne, avaient-elles dit, sans mentionner aucun nom.

— Cette Irène, il faut que je la retrouve, si elle existe encore, dit Habner à Olaüs.

— Comment ferez-vous, sans aucune indication ?

— J'en trouverai, monsieur, j'en trouverai, répliqua le policier avec la belle assurance de l'homme accoutumé de réussir.

Tout d'abord, il alla demander communication du dossier concernant le crime commis sur Ilka, et dont l'auteur était demeuré inconnu. Après l'avoir soigneusement étudié, il se rendit à la demeure où avaient vécu Ilka et Georges.

Elle avait été complètement rebâtie; mais le pavillon existait toujours. Après avoir exhibé sa carte, Habner le visita, puis alla sonner à la maison voisine, habitée, lui avait-on dit, depuis plus de trente ans par les mêmes personnes.

Là, on lui certifia de nouveau la vie parfaitement honorable et tranquille que menaient les deux jeunes gens, qui se faisaient appeler M. et Mme Douvres. On lui raconta le drame de l'incendie et une vieille servante lui désigna, comme pouvant lui donner peut-être d'autres renseignements, la femme de chambre qui se trouvait comme seule domestique dans le pavillon quand Ilka y avait péri, assassinée. C'était d'ailleurs sa cousine qu'avait épousée Firmin, le valet de chambre de Georges.

A l'adresse indiquée, Habner trouva une personne d'une quarantaine d'années, d'aspect sérieux, qui ne fit pas de difficultés pour répondre à ses questions. Elle confirma les bons témoignages précédemment recueillis sur Ilka et lui montra une lettre d'Irène, reçue deux mois après son départ, et où celle-ci lui demandait d'entretenir les tombes de Mme Drovno et de la jeune femme. A cet effet, elle lui envoyait, tous les ans, une petite somme.

— Et c'est très curieux, monsieur, ajouta cette femme, jamais elle ne me parle de la petite Mitsi. Les premières fois, je lui en demandais des nouvelles; puis j'ai cessé, en voyant qu'elle ne me répondait pas là-dessus.

— Emmenait-elle donc l'enfant, en s'en allant?

— Je n'en sais rien, car elle me congédia au lendemain des obsèques de la pauvre Madame, en s'excusant de le faire si précipitamment; mais, disait-elle. il lui fallait quitter tout de suite cette horrible maison... Et comme j'offrais de demeurer pour l'aider au moment du départ, en portant la petite, par exemple, elle répondit d'un air effaré : « Non, non, je n'ai besoin de personne ! Merci, ma bonne Clara, mais je m'arrangerai bien seule. »

Habner interrogea encore :

— Avez-vous vu venir chez votre maîtresse un personnage du nom de Parceuil?

— Un Français, qui venait au nom de l'oncle de Monsieur? Je l'ai vu deux fois, après la mort de Monsieur. Mais ensuite, je ne sais pas s'il est revenu. C'était Firmin qui ouvrait la porte, et il était très discret, pas bavard du tout.

Habner se frottait les mains, en quittant le logis

de Clara. Il emportait l'adresse d'Irène, et celle de Firmin, devenu propriétaire d'un petit hôtel à Lausanne.

— Un pas immense est fait, déclara-t-il à Svengred. Demain, je pars pour Lausanne. Voulez-vous pendant ce temps vous rendre à Laitzen et voir cette demoiselle Irène? Si ma présence était nécessaire, vous me télégraphieriez.

Svengred acquiesça avec empressement. Il se passionnait pour cette recherche de la vérité, en éloignant courageusement la pensée pénible qui lui montrait Christian et Mitsi heureux, après qu'aucune ombre n'existerait plus sur la mémoire d'Ilka. Il fallait que justice fût rendue, et le coupable démasqué. Car maintenant qu'apparaissaient les mensonges de Parceuil, Olaüs et le policier voyaient se dessiner une machination savamment ourdie, dont ils espéraient tenir bientôt tous les fils.

Dans la matinée du surlendemain, Svengred arrivait au village de Laitzen. Sur les indications qu'on lui donna, il gagna la petite maison qu'habitait Irène. Une femme âgée, impotente, vint lui ouvrir. Quand il demanda « Mlle Irène Blemki », elle répondit : « C'est moi. »

Il eut avec elle un long entretien. La pauvre créature poussa de grandes exclamations en apprenant comment elle avait été trompée par l'odieux Parceuil. Puis elle apprit au Suédois qu'il trouverait la preuve du mariage dans l'église même de Laitzen.

Il s'en alla trouver le curé, et, après les explications nécessaires, obtint communication du registre des mariages. Il y vit inscrits les noms de Georges Douvres et d'Ilka Drovno, avec la signature des témoins, deux paysans de l'endroit.

— Oui, oui, c'est bien exact, songea-t-il tout haut. Ce mariage est parfaitement valable, selon la loi autrichienne.

Il se tournait vers le prêtre, en parlant ainsi... Et il le vit, le front plissé, réfléchissant...

— Vous vous demandez à quoi je pense, monsieur?... Eh bien, voilà...

» Quelques mois après ce mariage, je revenais la nuit de chez un malade, quand il me sembla voir une lueur dans la sacristie. Craignant le feu, je me mis à courir. Mais, au moment où j'approchais de la porte, un homme, prévenu par le bruit de mes pas sur le sol dur, s'élança dehors et s'enfuit.

» J'essayai de le rattraper. Mais ce fut peine perdue. Alors je revins à la sacristie, tremblant de constater quelque vol. Une bougie était allumée, près du registre des mariages ouvert. A l'examen, je constatai qu'il n'y manquait rien. Aucun objet, d'ailleurs, n'avait été dérobé... J'en conclus que le mystérieux malfaiteur voulait sans doute détruire quelque preuve gênante. Et me rappelant ce mariage d'Ilka Drovno avec ce Français, qui semblait riche et de grande famille, je songeai que très probablement c'était à leur acte de mariage qu'on en voulait.

Svengred pensa : «Parceuil, encore!... c'est Parceuil qui est venu, qui a essayé de faire disparaître la preuve!»

Sur la question qu'il lui fit, le curé, rappelant ses souvenirs, spécifia à peu près l'époque de la mystérieuse tentative. C'était un an environ après la mort d'Ilka. Svengred se réserva de s'informer si, à cette époque, Parceuil avait fait un séjour en Autriche.

Après avoir copié l'acte, le jeune homme prit congé du prêtre et alla retrouver Irène. Il l'interrogea encore sur plusieurs points, et acquit la certitude que deux jours avant le meurtre, Ilka, recevant le mandataire de M. Douvres, avait fermement déclaré son intention d'écrire à celui-ci pour revendiquer les droits de sa fille au nom et à la fortune de Georges.

« Pauvre femme, elle signait son arrêt de mort !
songea Svengred en frissonnant. Ah ! le monstre !...
Comme j'avais raison de le tenir en instinctive antipathie ! »

En face de lui, Irène, joignant ses mains nouées
par les rhumatismes, s'exclamait :

— Seigneur ! quelle abominable chose !... Ma
pauvre petite Mitsi, qu'il m'avait promis de rendre si
heureuse ! Ainsi il ne lui donnait rien, rien des biens
de son père ?

— Absolument rien, mademoiselle. Mais rassurez-
vous...

Ici, un sourire douloureux crispa légèrement la
lèvre du jeune homme :

— ... Rassurez-vous, si cette charmante Mitsi a bien
souffert, je crois que désormais le bonheur l'attend.
Elle le mérite du reste, de toute façon, car
on ne peut rêver qualités physiques et morales plus
complètes que les siennes.

— Comme sa pauvre mère, alors... comme ma
pauvre chère Ilka. Combien je voudrais la connaître,
cette belle petite !

— Cette consolation vous sera peut-être donnée un
jour, mademoiselle.

Puis il se renseigna près de la vieille femme sur
l'origine de Mitsi et sut ainsi qu'Ilka, par sa mère,
appartenait à la plus haute noblesse roumaine. Quant
à la famille paternelle, le curé, qu'il retourna voir
avant son départ, lui apprit qu'elle était fort modeste,
mais parfaitement honorable. Irène en demeurait
d'ailleurs le seul représentant.

A Vienne, Svengred trouva Klaus Habner arrivant
de Lausanne. Firmin avait été difficile à faire parler. Enfin, Habner avait réussi à savoir que Parceuil avait eu un entretien avec Ilka, deux jours
avant la mort de celle-ci, et qu'en sortant de chez
la jeune femme, il avait demandé à Firmin de gar-

der le silence, à l'égard des collègues qu'il devait revoir à Paris, sur celle qu'il continuait d'appeler « Mlle Drovno ».

Svengred rapportait un plus riche butin. Les deux hommes s'occupèrent de coordonner méthodiquement les faits. Après quoi, tous deux restant plongés un moment dans leurs réflexions, Habner demanda tout à coup, brusquement :

— Eh bien ! monsieur Svengred, qu'est-ce que vous dites de cela ?

— Et vous, monsieur Habner ?

— La même chose que vous, probablement.

Ils sourirent. Puis le policier, se penchant vers son interlocuteur, demanda à demi-voix :

— Ne pensez-vous pas qu'il puisse y avoir des complices, dans cette affaire-là ?

Svengred tressaillit... Après un instant de silence, pendant lequel ils se regardèrent dans les yeux, Habner reprit du même ton bas :

— Il faut chercher le ou les bénéficiaires du crime. Vous le pouvez mieux que moi, vous qui connaissez la famille Douvres.

Une grande clarté se faisait dans l'esprit de Svengred... Georges mourant sans enfant légitime, tous les biens réunis de Jacques Douvres et de son frère revenaient à Christian, encore enfant à cette époque. Or, il existait alors trois êtres dont le petit héritier des Douvres et des Tarlay était l'idole : son grand-père, sa grand-mère et son père.

La nature loyale, l'impeccable probité de M. Douvres éloignaient de lui toute suspicion. Ainsi en était-il également de l'excellent Louis Debrennes... Restait l'autre... cette femme vaniteuse, pleine de morgue à l'égard de ceux qu'elle jugeait ses inférieurs, mielleuse pour les autres, se complaisant avec ivresse dans les jouissances du luxe, des honneurs que lui attirait la situation de son petit-fils, et faisant de Christian une idole à laquelle tout était dû, tout était permis.

« Si Christian arrive à la même conclusion que moi, quelles souffrances pour lui ! » pensa Svengred.

Il avait tenu jusqu'alors très brièvement son ami au courant de son enquête, ne voulant pas risquer de désillusion. Ce soir-là, il lui écrivit ces seuls mots :

« Tout va bien. L'acte de mariage existe. La mère de Mitsi est digne de tous les respects. Je pars demain et te raconterai tout. »

3

Après les funérailles du petit Jacques, Rivalles avait vu ses hôtes disparaître. La présidente, en grand deuil, traînait son ennui dans les salons déserts, avec sa chère Florine qui se cramponnait à l'espoir de conquérir Christian, cependant plus froid, plus indifférent que jamais à son égard – tel à peu près, en un mot, que si elle n'eût pas existé pour lui. Cette attitude mettait en rage Mlle Dubalde – non contre M. de Tarlay, mais contre Mitsi, dont la jeune beauté l'avait charmé, de façon très intense, s'il fallait en croire sa mine sombre et soucieuse tant qu'elle avait été en danger, et les soins dont il la faisait entourer.

L'espoir de Parceuil, de la présidente et de sa filleule ne s'était pas réalisé, Mitsi échappait à la mort. Une lente convalescence commençait, coupée d'arrêts, de légers retours fiévreux, entravée aussi par l'absence de ce puissant facteur moral : le désir de vivre.

Car Mitsi pensait avec angoisse : « Que ferai-je, quand je serais guérie ?... Je ne puis rester ici, exposée à « le » revoir, à l'entendre... Et M. Parceuil voudra-t-il me permettre de partir, si M. de Tarlay s'y oppose ? »

La sollicitude affectueuse de Marthe ne pouvait avoir raison de cette mélancolie, de cette angoisse secrète dont la jeune malade ne faisait point part à son amie. Dans l'âme de Mitsi, un sentiment grandissait, devenait dominant : elle avait peur de Christian... elle frissonnait au souvenir de ses yeux impérieusement amoureux, de sa voix ardente qui lui avait dit ces mots passionnés... ces mots dont la réminiscence la faisait trembler à la fois de révolte et d'une sorte d'étrange bonheur. Fuir... fuir loin de lui, tel était le désir qui devenait chez elle une hantise.

Christian, instruit chaque jour par Marthe des nouvelles de la jeune fille, s'inquiétait de voir venir si lentement son retour à la santé. Il parlait d'appeler en consultation son médecin de Paris... Mitsi, ayant eu connaissance par son amie de ce désir, lui fit répondre qu'elle se remettrait fort bien sans qu'on prît tant de peine pour elle. Il pensa : « Elle m'en veut encore, pauvre petite... Ah ! si Svengred pouvait me donner une bonne nouvelle !... Et comme cela hâterait aussi sa guérison ! »

Depuis la mort de son fils, un changement s'était fait dans ses habitudes. Il s'occupait maintenant des forges, s'y rendant presque chaque jour, critiquant ou approuvant en maître les actes du directeur. Celui-ci, platement déférent, servilement flatteur, contenait son inquiétude et sa colère. Un homme comme Christian ne se laisserait pas annihiler ni berner comme un Louis Debrennes. Si cette fantaisie devenait une sérieuse décision, Parceuil entrevoyait pour lui des jours d'autant plus difficiles que depuis quelque temps, M. de Tarlay semblait lui témoigner une froideur presque malveillante et ne se gênait pas pour le traiter avec hauteur, comme s'il eût pris plaisir à l'humilier.

« Qu'a-t-il donc? songeait le misérable. Lui vient-il des soupçons, au sujet des bénéfices — bien légitimes — que je me suis alloués sans juger bon de lui en demander l'autorisation?... Ou bien aurait-il de sérieux doutes à propos des parents de cette Mitsi? »

En cette âme sans scrupules, un instant l'idée d'un nouveau crime passa... Mais l'entreprise lui apparut cette fois infiniment dangereuse. Mitsi ne pouvait être supprimée comme l'avait été sa mère, qui ne disposait d'aucune protection autre que celle de la pauvre Irène. Christian était là, clairvoyant, lui, et peut-être méfiant déjà... Non, il ne fallait pas songer à ce moyen-là.

Pendant ce temps, Mitsi, sans le savoir, préparait les voies de ses ennemis.

Un peu de force lui revenant, elle se décidait à recourir à Parceuil pour échapper au danger que représentait M. de Tarlay. Ce n'était pas sans répugnance, car cet étrange tuteur, qui n'avait jamais paru se soucier d'elle et qu'elle ne connaissait guère que par ouï-dire, lui inspirait une instinctive antipathie. Mais elle n'avait à espérer qu'en cette tentative. Si, par crainte de déplaire à M. de Tarlay, par complète indifférence du sort de l'orpheline, Parceuil refusait d'accéder à sa prière, Mitsi se voyait obligée de demeurer à Rivalles, où elle se trouvait à la merci de celui qu'elle redoutait tant, et qui serait d'autant plus impitoyable pour prendre sa revanche qu'elle l'avait grièvement offensé, lui, le beau Christian de Tarlay, l'orgueilleux charmeur qui, disait-on, n'avait jamais trouvé de résistance quand il lui avait plu de conquérir.

Elle écrivit donc à Parceuil :

Monsieur,

Puisque vous êtes mon tuteur, je m'adresse à vous pour me venir en aide. Maintenant que le pauvre petit M. Jacques n'est plus, je suis sans utilité ici. Voulez-vous m'autoriser à retourner au pensionnat où vous m'avez fait élever? Les religieuses pourront, je l'espère, me trouver une situation. En tout cas, je serai près d'elles en sûreté, et je leur rendrai tous les services en mon pouvoir pour ne pas leur être à charge.

Cette lettre fut portée à Parceuil par Marthe, à qui Mitsi avait confié sa décision. La lingère l'approuvait complètement. Chargée par M. de Tarlay de lui apporter des nouvelles de la malade, elle avait constaté sa sollicitude inquiète, elle l'avait entendu lui recommander de ne rien négliger pour que Mitsi eût non seulement le nécessaire, mais encore tout ce qui pouvait lui être agréable. Très profondément honnête elle-même, Marthe s'effrayait pour son amie de cet intérêt trop significatif et comprenait que Mitsi fît tout au monde pour échapper au sort que lui réservait cette passion du puissant seigneur de Rivalles. Aussi, quelle que fût sa profonde antipathie à l'égard du directeur des forges, accepta-t-elle aussitôt la mission que lui donnait la jeune fille.

En lisant cette lettre, Parceuil esquissa un sourire de satisfaction, puis fronça les sourcils... et enfin, glissant la feuille dans sa poche, se rendit chez la présidente, qui achevait de s'habiller pour le déjeuner.

Elle vint le rejoindre dans le salon où l'avait fait entrer la femme de chambre et lut posément la lettre qu'il lui tendait. Puis elle ricana :

— La petite essaye de nous jouer la comédie, en

nous faisant croire qu'elle veut fuir Christian. Elle pense donc avoir affaire à des imbéciles?

— Eh bien! moi, si étonnante que soit la chose, j'estime qu'elle est sincère.

— Comment, dans sa situation, elle repousserait l'amour d'un Christian de Tarlay?... Voyons, mon ami, vous n'êtes pourtant pas assez naïf pour tomber dans ce panneau-là?

Parceuil leva impatiemment les épaules:

— Il faut voir les gens tels qu'ils sont, Eugénie. La mère de Mitsi était parfaitement honnête, quoi que j'en aie dit; la fille peut lui ressembler. Il y a des femmes qui ont horreur du mal, soyez-en persuadée, et qui aiment mieux se briser le cœur que de succomber.

— Mais enfin... Christian... Christian qui est si recherché, si adulé...

Mme Debrennes suffoquait presque de stupéfaction, à l'idée que cette petite Mitsi pouvait ne pas être grisée, vaincue sur l'heure par la séduction jusqu'alors invincible de son petit-fils.

— Eh! parbleu, c'est bien pour cela qu'elle en a peur, et qu'elle veut partir... Oui, oui, je crois qu'elle a résisté à Christian, qu'elle est encore résolue à le faire... et comme nous avons tout intérêt à ce qu'elle lui échappe, nous devons nous employer à favoriser son désir de départ.

— Impossible! Christian serait furieux, vous le pensez bien!

— Aussi faut-il nous arranger pour n'avoir là-dedans aucune apparence de participation.

Mme Debrennes hocha la tête:

— Hum!... Et puis, il se doutera bien qu'elle est chez ses anciennes maîtresses, et il s'arrangera pour la retrouver dès qu'elle aura une situation au-dehors.

— Aussi n'ai-je pas l'intention de l'envoyer là...

Car je veux profiter de l'occasion pour la faire disparaître de notre route, non par des moyens violents, mais en la réduisant à la misère, à une sorte d'esclavage, et très probablement à la déchéance.

— Comment cela?

— Voilà... Autrefois, j'ai sauvé de la prison qu'elle avait largement méritée une sorte de nihiliste, moitié Russe, moitié Bulgare, qui volait sans vergogne pour la petite association dont elle faisait partie. Voyez-vous, il est bon de se faire des amis partout. Avec quelques subsides que je lui donnai, Anna Bolomeff établit dans le Quartier latin un petit hôtel-restaurant aux prix modestes, que fréquentent quelques étudiants pauvres, quelques étrangers plus ou moins louches, la plupart expulsés de leur pays d'origine pour délits politiques ou autres. Anna, qui n'est ni douce ni aimable, qui rogne sur tout avec entrain, ne peut garder de servante et fait toute la besogne, aidée à l'occasion par l'un de ses pensionnaires plus famélique que les autres, heureux de recevoir en échange un maigre repas. Vous voyez d'ici avec quelle satisfaction elle accueillera Mitsi, à qui elle n'aura rien à payer, et dont la beauté sera une réclame merveilleuse.

La présidente eut un sourire de satisfaction mauvaise :

— Très bien !... Mais si Mitsi se fâche, réclame, veut s'en aller?

— N'ayez crainte, Anna la tiendra de près. Cette jolie Mitsi sera prisonnière... et, dépourvue d'argent, que pourrait-elle tenter?

Mme Debrennes secoua la tête :

— Cela ne nous amènerait-il pas des ennuis?... Un tuteur qui oblige sa pupille à demeurer dans une maison suspecte...

— Pas suspecte le moins du monde. Il n'y a jamais de bruit, jamais de scandale chez Anna Bolomeff.

Tout s'y passe correctement. Mitsi sera là très bien... et elle ne pourra s'en prendre qu'à elle, à ses exigences, à son mauvais caractère, si sa patronne la traite un peu trop rudement, lui mesure la nourriture, la charge de besognes déplaisantes. Mais oui, je serai à couvert parce que je l'aurai confiée à une femme honorable — oui, honorable, elle est connue pour telle dans le quartier —, chargée de lui apprendre le métier de servante et de lui donner ainsi les moyens de gagner son pain. Qu'après cela il lui arrive quelque malheur, qu'elle succombe sous un travail un peu excessif pour ses forces... eh! ma chère, ce sont là choses qui adviennent à bien d'autres, quand il leur faut lutter contre la misère. Personne ne pourra me jeter la pierre pour cela, personne n'y songera, d'ailleurs, car ceux qui peuvent s'intéresser à elle ignoreront son sort.

— Si vous croyez vraiment que ce moyen soit bon...

— Je ne vois guère que celui-là. Mais il faudra combiner tout de façon que Christian n'ait pas vent de la machination... D'abord, je vais m'entendre avec Mitsi...

— Mais croyez-vous qu'elle acceptera de se rendre chez votre ex-nihiliste, au lieu d'aller retrouver ses religieuses?

Parceuil eut un sourire sardonique :

— Soyez sans crainte, elle ne connaîtra le changement de programme qu'au dernier moment. Ceci est d'autant plus nécessaire qu'il faut que son amie Marthe la croie chez les sœurs de Sainte-Clotilde.

— Allons, arrangez cela à votre idée, mon bon ami. Débarrassez-nous de cette petite créature, je ne demande pas mieux... Pourvu que Christian ne s'en prenne pas à nous... Il est déjà si froid pour moi, depuis quelque temps — presque hostile même, dirait-on parfois.

Parceuil répliqua avec un léger ricanement :

— Il a probablement appris que vous ne ménagiez pas dans vos propos la jeune personne... Enfin, espérons que nous allons être délivrés de celle-ci.

4

Vers la fin de la matinée, le lendemain, on frappa à la porte de Mitsi, et celle-ci, venant ouvrir, se trouva en face de Parceuil.

Il expliqua :

— Je viens vous rendre réponse au sujet de la lettre que vous m'avez écrite hier.

Elle lui offrit une chaise et s'assit en face de lui, le cœur battant d'émotion inquiète. Pourvu qu'il lui accordât ce qu'elle souhaitait, cet homme dont le dur et déplaisant regard lui causait une impression répulsive.

Lui, d'un coup d'œil rapide, notait l'amaigrissement du visage, charmant toujours, la langueur des beaux yeux. Il pensa férocement : « Elle ne supportera pas longtemps le régime de la Bolomeff ! »

D'une voix légèrement tremblante, Mitsi disait :

— Je m'excuse de vous déranger, monsieur. Mais je ne pouvais rien décider sans votre autorisation...

— Vous avez très bien fait, mon enfant... très bien fait.

Il se faisait, tout à coup, presque paternel :

— Je comprends votre désir, et j'y accéderais bien volontiers si... si j'étais sûr de ne pas m'attirer de ce fait une inimitié, une colère qui pourraient me coûter fort cher.

Une vive rougeur monta au visage de Mitsi. Les lèvres tremblantes, la jeune fille répliqua :

— Cependant, monsieur, vous vous doutez que c'est pour fuir ce... cette même personne que je vous demande l'autorisation de partir ?

— Oui, je devine tout cela, mon enfant, et je ne puis que vous approuver pleinement. Toutefois, je le répète, la situation est difficile pour moi... Il faudrait... voyons... que ce départ eût lieu sans que j'aie l'air de m'en mêler... Par exemple, un beau jour, vous partiriez furtivement. A un endroit convenu, pas trop près, une voiture vous attendrait. Elle vous conduirait à la gare de Meaux, d'où vous gagneriez Paris. Là, je vous attendrais et vous mettrais dans le train pour Chartres. Les religieuses seraient prévenues par moi, vous n'auriez à vous occuper de rien. Ici, je ferai l'ignorant, naturellement... Et puis, quand on pensera que vous vous êtes réfugiée à Sainte-Clotilde, la chose sera accomplie, vous vous trouverez en sûreté près de vos anciennes maîtresses.

Mitsi dit vivement :

— Oui, oui, ce sera bien ainsi !... Mais je voudrais partir le plus tôt possible, monsieur.

— Il me faut le temps de préparer votre départ : cinq à six jours me suffiront, probablement. Je vous préviendrai par un petit mot... Mais ne parlez à personne de votre projet, naturellement.

— Marthe le connaît, monsieur. Mais il n'y a rien à craindre, elle sera discrète.

La physionomie de Parceuil laissa voir une soudaine contrariété.

— Ah !... Hum !... C'est fort ennuyeux. Si on l'interroge, elle est capable, quoi que vous en disiez, de raconter que vous vous êtes adressée à moi.

— Non, je suis assurée de son silence. Elle sait pourquoi je désire tant partir...

Ici, la rougeur vint de nouveau au teint pâle de Mitsi :

— ... Elle m'approuve entièrement et fera tout son possible pour m'aider.

— Je veux bien vous croire... Si elle est vraiment discrète, elle n'aura d'ailleurs pas à s'en repentir, car je sais récompenser ce genre de qualité.

Quand Mitsi, un peu après, répéta à son amie ces paroles de Parceuil, Marthe fit une moue de dédain.

— S'il croit que c'est cela qui m'engagerait à me taire !... Non, non, j'agis uniquement dans votre intérêt, Mitsi, pour vous aider à échapper au péril qui vous guette. En même temps, il se trouve que cela fait son affaire — ou plutôt celle de Mme Debrennes, qui doit voir d'un mauvais œil ce... penchant de M. le vicomte pour vous et se demande probablement de quelle façon arriver à vous éloigner d'ici.

Mitsi prit la main de la lingère et, la serrant nerveusement, demanda d'une voix qui tremblait :

— Marthe, que dit-on sur moi ?... Théodore m'a vue sortir du pavillon... et puis la présidente et d'autres...

Marthe se pencha pour embrasser la jeune fille :

— Ma pauvre chérie, le monde ne juge que d'après les apparences... Or, les gens arriveront difficilement à croire que dans votre situation, vous avez repoussé un homme comme M. le vicomte. Je vous ai bien défendue à l'office, allez ! Mais on me traitait d'imbécile — ce qui, d'ailleurs, m'était indifférent, du moment où j'avais fait mon devoir.

Mitsi se redressa, très pâle de nouveau, en murmurant douloureusement :

— Alors, on croit... on croit cela ? Mon Dieu, moi qui aimerais mieux mourir dix fois que de...

Un sanglot s'étouffa dans sa gorge. Elle laissa tomber sa tête sur l'épaule de Marthe en disant tout bas :

— Oh! oui, pourquoi ne suis-je pas morte? « Il »
me laisserait en repos, alors!

Cinq jours plus tard, Olaüs Svengred, sa mission
accomplie, arrivait à Rivalles. Christian l'attendait
avec une fièvre d'impatience. Le peu que son ami
avait écrit lui permettait de deviner un succès
complet, et des découvertes de grande importance.
Aussi, à peine Svengred avait-il mis le pied dans le
vestibule du château, qu'il l'emmenait dans son cabinet de travail, et là, lui serrant nerveusement les
mains, il demandait :

— Eh bien, qu'as-tu appris?... Était-ce faux, vraiment, tout ce que racontait Parceuil?

Le jeune Suédois avait toujours vu son ami assez
froid en apparence, très maître de lui, affectant
volontiers l'ironie, l'indifférence railleuse. Devant
cette émotion, cette attente anxieuse, il mesura la
force du sentiment qui remplissait le cœur de Christian,
et qui avait raison de son orgueil, de son insouciance
méprisante d'homme adulé. Son âme, une seconde,
connut à nouveau une poignante amertume... Mais,
courageusement, éloignant la pensée jalouse, Svengred
répondit :

— Oui, mon ami, tout est faux, la mère de Mitsi
était irréprochable, comme Mitsi elle-même, et le
mariage était réel, entièrement valable selon la loi
autrichienne.

Là-dessus, il raconta tout, sans commentaires, voulant laisser à Christian l'entière indépendance de son
jugement, sans l'influencer de ses vues personnelles...
M. de Tarlay l'écoutait ardemment, le menton appuyé
sur sa main, le visage tendu, les yeux étincelants
d'une sourde indignation, qui éclata enfin quand Svengred se tut.

— Le misérable!... Le misérable! Mais c'est lui
qui a tué la malheureuse femme!

— C'est aussi mon avis, et celui de Klaus Habner.

Christian se leva, bouleversé par l'émotion, par l'horreur. Il répéta :

— Le misérable !... Et mon grand-père, mon père lui donnaient toute leur confiance ! Ma grand-mère le porte aux nues... Ils ont cru, tous, à ses mensonges. Seul, mon père avait quelques doutes... Que n'a-t-il cherché à les éclaircir ! Une horrible injustice aurait été évitée... Cette malheureuse enfant était, sinon légalement, du moins en toute justice, l'héritière de Georges. Mon grand-père, dans sa probité parfaite, l'aurait jugée ainsi. Voilà pourquoi Parceuil l'a trompé...

S'interrompant tout à coup, Christian songea un moment, puis fit observer :

— Mais quel intérêt cet homme avait-il à agir ainsi ?... Que Mitsi héritât ou non de son père, lui n'en recueillait rien de plus.

Svengred tressaillit légèrement. Il connaissait, lui, les deux motifs qui avaient conduit Parceuil. Mais il fallait que Christian devinât l'un... L'autre, il le lui révéla, d'après ce que lui en avait appris Irène.

— Cet homme avait essayé de courtiser Ilka, et, repoussé, il lui en aura gardé un ressentiment qu'il a été trop heureux de trouver une occasion d'assouvir.

— Le monstre ! L'infâme !... Quelle jouissance de le démasquer enfin ! Et ma pauvre Mitsi, qui va savoir que les accusations portées contre sa mère ne sont que calomnies... Mitsi que je vais pouvoir traiter en cousine, aux yeux de tous... et bientôt en fiancée...

Il fit quelques pas à travers la pièce, puis revint à Svengred, qui considérait avec un mélange d'amertume et de noble satisfaction ce beau visage transformé par une émotion ardente.

— Il faut que je la voie aujourd'hui même !... que je lui apprenne sans tarder ce changement dans sa situation. Quant à Parceuil, je l'exécuterai, dès qu'il sera revenu de Paris, où il s'est rendu ce matin pour affaires.

Ce même jour, un mot de Parceuil, transmis par Marthe, informait Mitsi que son départ était fixé pour le lendemain matin. A 4 heures, elle devait quitter le château dans le plus grand secret, en passant par une petite porte du parc, à l'aide de la clef que le prévoyant tuteur avait jointe à la lettre. Il lui faudrait faire à pied un trajet d'environ un kilomètre, jusqu'à un croisement de routes où l'attendrait une voiture qui la conduirait à Meaux. Là, elle prendrait un train pour Paris. A la gare de l'Est, Parceuil serait là et l'accompagnerait à la gare Montparnasse, comme il l'avait dit précédemment.

Le prix du voyage de Meaux à Paris était contenu dans l'enveloppe. Marthe ne put se tenir de faire observer :

— Il aurait bien pu y ajouter quelque chose, ce grigou !

Mitsi répliqua avec une fierté mélangée de mélancolie :

— Il ne me doit rien... Personne ne me doit rien. C'est par mon travail seul que je veux subvenir à mes besoins.

Avec l'aide de Marthe, elle s'occupa aussitôt de réunir le peu d'objets qui lui appartenaient. Ses mains tremblaient, une tristesse immense lui serrait le cœur... Fuir, fuir ainsi comme une pauvre créature pourchassée... se sentir seule, sans ressources, dépouillée du seul bien qu'elle possédât sur cette terre : son honneur, qu'on lui contestait injustement... Et cela, par la faute de ce vicomte de Tarlay, de cet homme comblé par la fortune, par le monde, par la nature, et qui n'avait pas eu pitié d'une pauvre enfant isolée, malheureuse, demandant à rester sans tache, à vivre humble et cachée, dans la simplicité d'une existence modeste.

Une douloureuse colère, une sorte d'âpre ressentiment s'insinuaient dans son âme tourmentée par la souffrance. Et quand un peu après, Marthe, appelée chez M. de Tarlay, vint lui apprendre que son maître demandait à la voir, pour une communication importante, elle s'écria avec véhémence :

— Oh ! non, non !... cela, non !

— Comment faire, ma petite Mitsi ?... C'est difficile de répondre cela à M. le vicomte. J'ai bien dit comme vous me l'avez recommandé quand il me demandait de vos nouvelles, que vous étiez faible, fatiguée encore... mais enfin, cela n'empêche pas de le recevoir.

— Si, en disant que je suis beaucoup plus fatiguée cet après-midi... que je le prie d'attendre à demain... Et demain, il pourra me chercher, tant qu'il voudra... il ne me trouvera plus !

Elle parlait avec une sorte d'âpreté qui frappa Marthe. Celle-ci pensa : « Elle lui en veut, la pauvre petite !... Et elle a bien raison ! »

Mitsi, de son côté, songeait avec une ironie douloureuse : « Je me doute bien de ce qu'elle serait cette communication importante. Ah ! il est temps, grand temps de fuir ! »

Marthe, qui partageait sur ce point l'opinion de son amie, alla rendre la réponse à M. de Tarlay, non sans quelque appréhension, car elle se demandait comment le maître accueillerait ce retard apporté à ses volontés. De fait, il fronça d'abord les sourcils, déclara que ce qu'il avait à dire ne pourrait qu'être favorable à la santé de la convalescente... Puis, réfléchissant que l'idée de se trouver en sa présence devait émouvoir fortement Mitsi, il écrivit ces quelques mots :

Ne craignez rien de moi, Mitsi. Je suis désormais le plus respectueux de vos amis, et bientôt, j'aurai le bonheur de vous donner un autre titre. Accordez-moi ce moment d'entretien, en présence de mon ami Svengred qui connaît mes regrets, qui sait quel pardon j'ai à vous demander.

Votre tout dévoué,

TARLAY

Quand Marthe remit cette carte à Mitsi, celle-ci la tint un moment entre ses doigts frémissants... Et elle sentit monter à ses narines un très léger, très discret parfum qui tout à coup lui rappela avec une intensité poignante la scène du pavillon. Car ce même parfum, elle l'avait respiré quand Christian s'était penché vers elle pour l'entourer de ses bras, pour lui donner ce baiser qui lui brûlait encore la joue, semblait-il...

Elle eut un mouvement d'horreur, un long frémissement... Et, d'un geste violent, elle déchira la carte, la réduisit en menus morceaux qu'elle jeta au hasard. Puis, se laissant tomber sur un siège, elle se mit à sangloter.

5

Au cours de la matinée du lendemain, il y avait dans un train se dirigeant sur Paris une pauvre jeune créature oppressée par l'angoisse, affaiblie par la maladie et qui, courageusement, retenait ses larmes, en essayant de calmer sa souffrance avec la pensée que bientôt elle serait à l'abri près des religieuses qui l'aimaient, qui sauraient la protéger.

Le départ s'était effectué sans difficulté. Tout dormait encore dans le château, quand Mitsi l'avait quitté furtivement. La voiture annoncée par son tuteur l'attendait à l'endroit désigné. Elle avait pris le train à Meaux sans encombre... et maintenant, dans quelques minutes, elle allait atteindre Paris.

Une inquiétude lui venait. Si Parceuil, par hasard, ne se trouvait pas à la gare, que ferait-elle, sans argent ou presque? Marthe l'avait bien obligée à accepter en prêt une petite somme, afin qu'elle ne fût pas absolument démunie : mais elle ne serait pas suffisante pour payer le voyage jusqu'à Chartres.

Aussi eut-elle une impression de soulagement quand, à la sortie de la gare, elle aperçut Parceuil qui l'attendait.

Il la conduisit jusqu'à un fiacre retenu par lui, et qui, le vieillard et la jeune fille une fois montés, partit aussitôt pour une destination indiquée à l'avance au cocher.

Alors Parceuil dit à sa pupille :

— J'ai changé d'avis, mon enfant, sur le lieu où vous devez trouver asile. Le pensionnat de Sainte-Clotilde est naturellement le premier endroit où l'on vous supposera réfugiée. Or, M. de Tarlay est un homme très volontaire, très tenace dans ses idées, habitué à ne pas rencontrer d'entraves à ses fantaisies. En outre, il est immensément riche, puissant par ses relations, et sait avoir peu de chose à craindre au cas où il lui plairait de... mettons, par exemple, de vous faire enlever. Aussi, ai-je jugé plus prudent de vous conduire là où il ne pensera jamais à vous faire chercher, c'est-à-dire chez une excellente et très digne personne de ma connaissance qui, pour me rendre service, accepte volontiers de vous recevoir et de vous prendre comme aide dans la direction de sa maison.

Mitsi écoutait ce discours avec une surprise mêlée d'inquiétude. Cependant, à ses objections, Parceuil répondit de façon si plausible qu'elle calma son anxiété et refoula ses regrets, en songeant qu'après tout son tuteur avait raison, et qu'il remplissait bien son devoir en éloignant d'elle le péril, du mieux qu'il pouvait.

Elle s'informa de ce que faisait la personne en question. Parceuil répondit :

— Mme Bolomeff tient un hôtel, maison des plus honorables. Vous l'aiderez dans sa tâche, et elle vous donnera pour cela une honnête rétribution.

Peu après, le fiacre s'arrêtait devant un petit restaurant de modeste apparence. Parceuil aida la jeune fille à descendre, régla le cocher, puis entra avec sa compagne dans la salle, encore vide à cette heure.

Une femme surgit d'une pièce voisine. Elle était enveloppée d'une blouse grise maculée de taches graisseuses, coiffée d'un bonnet de tulle noir poussiéreux sous lequel passaient des mèches de cheveux gris. Dans sa face blafarde, des yeux bleus, durs, aigus, s'abritaient sous de molles paupières sans cils.

Parceuil dit, en poussant légèrement devant lui Mitsi interdite à la vue de cette apparition :

— Voici la jeune fille dont je vous ai parlé, Anna. J'espère que vous vous arrangerez bien toutes deux ?

La femme grimaça un sourire, qui découvrit ses gencives ornées de dents gâtées.

— Oh ! on s'arrange toujours avec moi ! N'ayez crainte, monsieur Parceuil, je soignerai bien votre protégée.

— Allons, je vous la laisse... Au revoir, Mitsi.

Et, tournant les talons. Parceuil s'en fut vers la porte, jusqu'où l'accompagna Anna. Il lui dit rapidement à l'oreille :

— Surtout ne la laissez pas s'échapper !

— Ne vous inquiétez pas ! J'ai mon petit moyen... Et je ne la mettrai au restaurant que lorsqu'elle sera matée.

Parceuil sortit vivement, et la femme, derrière lui, ferma la porte à clef.

Toute cette scène avait eu lieu si vite que Mitsi restait encore abasourdie quand la Bolomeff revint vers elle :

— Venez, petite, que je vous montre votre chambre.

Mitsi la suivit d'un pas hésitant. Son cœur était étreint par l'angoisse, car elle avait la subite intuition d'être tombée dans un piège. Mais ne valait-il pas mieux paraître ne point s'en douter, pour tenter de déjouer la machination, si elle existait ?

A la suite de son étrange hôtesse, Mitsi traversa une petite pièce obscure, passa devant une cuisine d'où s'échappaient des relents de gargote, longea un petit couloir, aperçut au passage un étroit bureau vitré et un escalier garni d'un tapis déchiré, poussiéreux. Puis Anna ouvrit une porte qui grinça lamentablement, et Mitsi vit devant elle une petite cour, sorte de puits enserré entre quatre murs, et d'où s'élevait une écœurante odeur d'eaux de ménage. A droite, la femme ouvrit une porte et dit :

— Voici votre chambre.

C'était un étroit taudis éclairé seulement par la vitre placée au-dessus de la porte. Un lit déjeté, aux couvertures sales, une table de bois maculé supportant un pot de toilette et une cuvette ébréchée, une chaise à moitié cassée en composaient l'ameublement. Le sol de terre battue paraissait n'avoir pas été balayé depuis des mois, et les murs crasseux n'avaient, de toute évidence, jamais connu de nettoyage.

Mitsi, à cette vue, recula, en protestant vivement :

— Mais, madame, je ne puis coucher ici !

L'autre la dévisagea avec un sourire mauvais :

— Et pourquoi donc?... Si vous avez de quoi me payer, je vous donnerai une autre chambre. Sinon, celle-ci est bien bonne pour vous... Allons, retirez votre chapeau et venez m'aider à la cuisine, car je n'ai pas besoin d'une fainéante ici.

— Eh bien, madame, je ne vous encombrerai pas davantage. A l'instant même, je vais partir...

La femme l'interrompit en levant les épaules :

— Vous n'en avez pas le droit, pas plus que je ne l'ai de vous laisser partir. M. Parceuil vous a confiée à moi. Lui seul peut vous donner l'autorisation de me quitter.

— En ce cas, je lui écrirai.

— Soit. Mais en attendant, venez m'aider, pour gagner votre repas.

Mitsi jugea préférable de ne pas discuter davantage. Ayant déposé sa valise dans ce taudis, et enlevé son chapeau, elle suivit à nouveau l'hôtesse, jusque dans la pièce malodorante où s'élaboraient des mets douteux. La jeune fille éplucha des légumes que lui désignait Anna, tourna une sauce au parfum de graisse rance, versa, d'après les indications de la femme, sur une viande aux teintes verdâtres, une forte dose de vinaigre, destinée à en atténuer le fumet trop accentué... Après cela, quand la Bolomeff lui dit : « Nous allons déjeuner avant que mes pensionnaires arrivent », elle répliqua avec vivacité :

— Non, je n'ai pas faim ! Il me serait impossible de rien avaler.

L'autre dit sardoniquement :

— Mon ordinaire ne plaît sans doute pas à Mademoiselle?... Enfin, pour aujourd'hui, je veux bien me montrer bonne femme. Il y a du lait, dans ce pot. Je vais vous en donner une tasse.

Mitsi ne refusa pas, sentant la nécessité de se soutenir physiquement, pour supporter la lutte morale, les angoisses que lui réservait certainement son étrange situation. Elle trouva au lait un goût désagréable, mais se força néanmoins à finir la tasse. Puis elle continua d'aider Anna, qui, la taille entourée d'un tablier blanc — ou presque — allait et venait de la cuisine à la salle où commençaient d'arriver les habitués.

Mitsi pensait : « Si je m'en allais, maintenant ? En la suivant quand elle va là-bas, je traverserais la salle en courant et je sortirais par là. »

Puis elle songeait, le cœur saisi de détresse :

« Mais pour aller où ?... Je ne connais personne dans ce Paris... Et je n'ai presque pas d'argent. »

Peu à peu, elle sentait une grande lassitude l'envahir. Une torpeur annihilait sa pensée, rendait lourdes ses paupières... La voix aigre d'Anna s'éleva tout à coup :

— Vous avez un sommeil fou, ma petite ! Allez dormir, vous serez mieux après.

Elle la prit par le bras, la guida jusqu'au taudis. Mitsi se laissait faire, presque inconsciente. Elle se glissa dans le lit et, aussitôt, sombra dans le sommeil.

Quand elle s'éveilla, son cerveau engourdi ne lui permit d'abord que des pensées vagues... Mais, avec le jour misérable qui pénétrait par la vitre sale, la conscience de la terrible vérité lui revint, peu à peu... Alors elle se souleva sur le grabat sordide et jeta un regard d'angoisse autour d'elle.

D'un coup d'œil, elle constata l'absence de ses vêtements.

Sur une chaise, près du lit, se trouvaient une sorte de jupon loqueteux et un caraco d'indienne d'une douteuse propreté. A terre traînaient deux savates éculées.

Mitsi murmura :

— Que signifie tout cela ?

Elle restait immobile, envahie par l'effroi. Le souvenir de ce qui s'était passé la veille lui revenait maintenant, de plus en plus net... Quel but avait donc Parceuil, en la conduisant ici ? Pourquoi lui avait-on enlevé ses vêtements ?

Et tout à coup elle songea : « L'argent... l'argent de Marthe !... Me l'a-t-on pris aussi ? »

Hélas ! il lui fallut bien le constater !... Elle restait donc sans la plus minime ressource, sans vêtements même, car il lui était impossible de sortir d'ici avec ceux que l'hôtesse avait déposés là... Et elle comprit aussitôt que c'était un moyen imaginé par cette femme pour l'empêcher de s'enfuir.

Alors une grande détresse la saisit et elle se laissa tomber sur le lit, anéantie, les tempes battantes de fièvre.

Mais elle se redressa, en entendant un pas sur le pavé de la cour. Il ne fallait pas que cette misérable femme la crût abattue, terrassée. Elle devait protester, se défendre...

La porte s'ouvrit, Anna parut sur le seuil, plus sale que la veille encore, en sa tenue du matin :

— Levez-vous, fainéante ! Il y a du travail dans la maison.

Mitsi répliqua fermement :

— En ce cas, donnez-moi mes vêtements.

— Non, ma petite, il vous sont inutiles. Voilà ce qu'il faut, dans votre nouvelle situation.

— Je ne bougerai pas tant que vous ne m'aurez pas rendu ce qui m'appartient.

— A votre aise ! Mais comme je ne nourris que les personnes qui travaillent, vous ne mangerez pas tant que vous n'aurez pas changé d'avis.

Et, tournant les talons, Anna quitta la pièce, dont elle verrouilla la porte.

Mitsi, terrifiée, songea désespérément : « Mon Dieu ! mon Dieu ! en quelles mains suis-je tombée ?

Ayez pitié de moi, pauvre orpheline, qui fuis un danger pour en retrouver un autre, peut-être pire encore ! Qu'est-ce donc que ce Parceuil, pour me traiter ainsi ? Que lui ai-je fait, à cet homme qui a cru bon autrefois de se charger de ma tutelle, qui m'a fait élever, sans jamais paraître s'intéresser autrement à moi ? »

Toutes ces pensées s'entrechoquaient dans le cerveau enfiévré de la malheureuse enfant. A bout de forces, elle s'affaissa, frissonnante, claquant des dents, sur l'affreux lit, d'où, songea-t-elle avec une sorte de frémissement d'espoir, elle ne sortirait peut-être plus que morte.

6

Christian attendait avec la plus vive impatience le moment où il reverrait Mitsi, où il lui apprendrait quel changement survenait en son existence. Il attribuait à la gêne de se retrouver en sa présence, à la crainte qu'il lui inspirait ce retard apporté par la jeune fille à le recevoir. Mais il ne doutait pas qu'elle fût un peu rassurée à la lecture de sa carte. Et elle le serait tout à fait quand il aurait demandé un pardon qu'il tenait pour certain d'obtenir, en homme habitué à voir triompher son pouvoir de charmeur.

Ainsi donc, vers la fin de la matinée, il fit demander Marthe afin qu'elle s'informât près de Mitsi de l'heure où celle-ci voudrait le recevoir. A la seule vue de la physionomie émue, gênée de la lingère, il comprit qu'un fait anormal s'était passé avant même qu'elle eût dit :

— Mitsi n'est pas là, monsieur le vicomte.

— Comment ?... Où est-elle allée ?

— Je l'ignore... Mais je ne l'ai pas trouvée ce matin dans sa chambre... et sa valise a disparu, ainsi que divers objets dont elle se servait journellement.

Christian eut un sursaut de stupéfaction et de colère :

— Que me racontez-vous là ?... Et comment ne m'avez-vous pas prévenu plus tôt ?

— Mais... mais, monsieur le vicomte...

Marthe balbutiait, rougissante, embarrassée, un peu tremblante devant le violent mécontentement de son maître.

— C'est que, en réalité, Mitsi a agi de connivence avec vous... pour me fuir ? Avouez-le, Marthe ?

— Monsieur se trompe... j'ignorais... Mitsi ne m'a rien dit...

Elle se troublait de plus en plus, sous le regard impérieux et pénétrant.

Christian leva les épaules :

— Vous ne savez pas bien mentir. Au reste, il fallait qu'elle eût une complicité pour organiser son départ. Car, mal remise de sa maladie, elle n'a pu faire à pied les douze kilomètres d'ici à Meaux.

Marthe se tut, n'osant plus nier devant ce maître trop clairvoyant.

— Maintenant, dites-moi où elle s'est rendue ?

Courageusement — car son refus pouvait avoir les plus dures conséquences pour elle et ses frères — la lingère répondit :

— Que monsieur me pardonne, mais je ne puis le lui dire, car j'ai promis le secret à Mitsi.

— Soit ! Mais je ne vois guère comme asile pour elle que le pensionnat d'où elle est venue.

Un léger tressaillement sur le visage de Marthe, les yeux qui se baissaient, pleins d'inquiétude, sous son regard, apprirent à Christian qu'il avait deviné juste :

— C'est bien, vous pouvez vous retirer... Ah! dites-moi, avez-vous prévenu Mme Debrennes, à défaut de M. Parceuil, qui n'est pas encore revenu de Paris?

En balbutiant de nouveau, car elle craignait d'embarrassantes questions, Marthe répondit :

— Non, monsieur, pas encore... J'étais si bouleversée.

— En ce cas, ne dites rien à personne de ce départ — même à M. Parceuil, s'il revient ce soir ou demain... Et ceci — retenez-le bien — est dans l'intérêt de Mitsi, à laquelle vous témoignez tant d'affection. Sans le savoir, en favorisant sa fuite, vous venez de retarder pour elle une grande joie. Je ne veux pas vous le reprocher davantage, car vous avez agi dans une bonne intention. Mais s'il existe un danger pour Mitsi, ce n'est pas moi qui le représente, dites-vous bien cela... et méfiez-vous.

Marthe se retira de plus en plus troublée, en pensant à la part que Parceuil avait prise au départ de son amie. Les paroles, le ton sérieux de son maître l'avaient impressionnée. Elle pensa : « Dois-je lui dire toute la vérité? »... Puis elle se rappela quelle crainte témoignait Mitsi à l'égard de M. de Tarlay et résolut de se taire, comme elle l'avait promis.

Svengred, appelé par son ami, entendit sans paraître surpris la nouvelle de cette fuite. Mais il dit aussitôt :

— Pourvu qu'il n'y ait pas là une machination de Parceuil !

Christian s'écria :

— Quoi, tu penserais?...

— Ce misérable, voyant que tu t'intéresses à elle, peut craindre des recherches gênantes pour lui. En l'envoyant loin d'ici, il suppose probablement que, le premier mouvement de colère passé, tu l'oublieras... ou tout au moins que tu te trouveras impuissant à te rapprocher d'elle, si elle s'est réfugiée en un lieu où elle soit bien gardée.

— Je ne vois que ce pensionnat où elle a passé cinq années...

— Je voudrais qu'il en fût ainsi... Mais si Parceuil s'en est mêlé, il est trop fin renard pour n'avoir pas prévu qu'on la supposerait là aussitôt.

— Alors, où serait-elle?... où la chercherais-je?

— Il faudra voir... et d'abord interroger Marthe, arriver à lui faire dire tout ce qu'elle sait.

— Voudras-tu t'en charger? Car moi, j'ai tout juste le temps de m'habiller et d'aller prendre le train pour gagner Vorgères. Là, je demanderai la supérieure, je lui expliquerai tout... et il faudra bien que j'arrive à la voir, à la convaincre, cette farouche petite Mitsi.

Svengred pensa, le cœur un peu serré, en regardant son ami tout vibrant d'ardente décision, en voyant ces yeux superbes où se reflétait une passion concentrée, dominatrice : « Je crois que tu n'y auras pas beaucoup de peine! »

Dans l'après-midi du lendemain, M. de Tarlay rentrait à Rivalles. Il s'en alla tout droit à l'appartement de son ami et sa première parole fut :

— Mitsi n'est pas à Sainte-Clotilde! La supérieure m'a affirmé qu'elle n'y est pas venue et qu'elle ignore totalement où elle peut se trouver.

Svengred répliqua :

— Cette nouvelle m'étonne d'autant moins que Marthe a fini par m'apprendre ceci: Mitsi s'est adressée à Parceuil pour avoir l'autorisation et les moyens de partir, et le personnage lui a donné l'une, fourni les autres, en exigeant toutefois que sa participation à ce départ demeure secrète.

— Mais alors, c'est terrible!... Qu'en a-t-il fait, de ma pauvre Mitsi? Ah! je vais bien le forcer à me le dire ! Est-il revenu de Paris, ce misérable ?

— Oui, hier soir. Il a feint, paraît-il, d'avoir été prévenu par Marthe de la fuite de Mitsi, et en a fait répandre la nouvelle dans le château, avec des commentaires défavorables.

— Le monstre ! dit Christian, dont le visage pâlissait de colère et d'angoisse. Après la mère, la fille... Ah ! il est plus que temps d'écraser ce serpent !

A ce même moment, la présidente et son confident s'entretenaient à mi-voix dans le salon-fumoir qui précédait la chambre de Parceuil. Il était question de la courte absence que venait de faire Christian, pour une destination inconnue mais qu'ils devinaient sans peine.

— Vous êtes certain que Marthe n'a point parlé ? demandait Mme Debrennes.

— On n'est jamais certain de ces choses-là. Mais j'espère beaucoup que cette fille, très entichée de Mitsi, craint fort Christian pour elle et se gardera de le mettre sur sa piste. Au reste, peu importerait, puisque ladite piste est fausse.

— Oui... mais si elle parle de votre intervention ?

— Elle n'y a aucun intérêt, bien au contraire, car je lui ai laissé entendre que sa discrétion serait récompensée par ma protection accordée à ses frères.

Ce fut à cet instant que M. de Tarlay, ouvrant la porte du salon, apparut sur le seuil, à la profonde stupéfaction de Parceuil qu'il avait toujours coutume de faire appeler chez lui quand il avait à lui parler.

A la vue de Mme Debrennes, Christian eut un mouvement de surprise :

— Ah ! vous êtes là, grand-mère ? Eh bien ! tant mieux. Vous allez entendre ce que j'ai à dire à ce monsieur.

Et se tournant vers Parceuil, il demanda brusquement :

— Qu'avez-vous fait de ma cousine, Mitsi Douvres ?

204

L'autre eut un tressaillement, une lueur inquiète dans le regard. Mais sans perdre sa présence d'esprit, il riposta en affectant la plus vive surprise :

— Que dites-vous là, Christian?... Que signifie?...

— Oui, Mitsi Douvres, née du légitime mariage de Georges Douvres et d'Ilka Drovno.

Cette fois ce fut la présidente qui s'exclama, en se soulevant sur le fauteuil où elle était assise :

— Mais tu es fou? Que viens-tu nous dire là?

— La vérité. Votre cousin, grand-mère, est non seulement le plus insigne menteur, mais encore un assassin.

Parceuil, tout à coup blême, s'écria d'une voix rauque :

— Monsieur !... Une telle insulte...

— Vos protestations sont inutiles. Je sais tout... et voici mes conditions : vous allez m'indiquer où se trouve Mitsi, et en ce cas je ne fais pas de scandale, je vous laisse partir sans vous demander compte des bénéfices illicites qu'un homme comme vous n'a pu manquer de faire à mon détriment. Sinon, je raconte tout : comment, pour vous venger d'Ilka, vous avez trompé mon grand-père en la faisant passer pour une femme de rien, en cachant son mariage, puis en l'assassinant quand vous l'avez vue résolue à défendre ses droits, ce qui aurait appris à mon grand-père votre imposture...

La présidente se leva brusquement. Elle était très rouge et tremblait de colère contenue :

— Oses-tu vraiment accabler ainsi sous la calomnie ce parent dévoué, cet homme qui n'a jamais songé qu'à servir fidèlement ton grand-père, ton père et toi-même? Parce que tu trouves à ton goût cette petite gredine, la digne fille de la créature que tu cherches à blanchir, aux dépens de ce noble ami...

Christian, les bras croisés, faisait maintenant face à son aïeule. Il l'interrompit avec une sourde colère :

— Vous n'avez déjà que trop vilipendé cette admirable Mitsi, qui a su rester irréprochable en des circonstances où combien d'autres auraient succombé ! Ne me donnez pas à croire, grand-mère, que vous encouragez l'injustice, que vous fermez volontairement les oreilles pour ne pas entendre la vérité...

A son tour, elle l'interrompit. L'exaspération, devant l'écroulement de son œuvre, l'emportait sur son habituelle prudence :

— La vérité !... ces accusations folles, cette prétention de nous faire croire à l'intangible vertu de cette odieuse Mitsi ! Ah ! quelle belle œuvre nous avons faite, mon pauvre Parceuil, en nous occupant de cette petite vipère, et surtout en l'introduisant dans cette demeure où elle ne pouvait apporter que le scandale !

C'était véritablement la haine, la rage qui s'exhalaient de ces lèvres, animaient ce regard, transformaient la physionomie de cette femme. Et Christian, voyant cela, entendant cette défense ardente du misérable Parceuil, eut soudainement l'intuition de la vérité.

Faisant deux pas en avant, il demanda, avec une dure ironie :

— Mais, grand-mère, que vous a donc fait Mitsi, pour que vous la détestiez ainsi ?... Car on a de ces sentiments-là seulement pour ceux dont on a beaucoup à se plaindre... ou pour ceux à qui l'on a fait beaucoup de tort.

La présidente bégaya, en baissant un peu les yeux sous le regard de son petit-fils :

— Qu'entends-tu par là ? Que prétends-tu insinuer ?

Alors, nettement, il riposta :

— Que peut-être vous n'ignoriez pas les actes criminels de cet homme... et que vous les avez approuvés, aidés même, qui sait !

— Tu oses !... Tu oses accuser ta grand-mère !

Le teint de Mme Debrennes devenait violacé. Christian, le cœur étreint par l'affreuse douleur de cette révélation, serra les lèvres pour retenir les paroles d'indignation qui allaient s'en échapper. Se tournant vers Parceuil qui assistait à cette scène, impassible en apparence, il lui dit froidement :

— Vous avez compris ? Je veux que Mitsi me soit rendue, et à ce prix seulement, je consens à me taire sur vos méfaits, à ne pas révéler à tous ce que vous êtes réellement. Que choisissez-vous ?

Parceuil avait déjà envisagé la situation, qui apparaissait désastreuse pour lui. Lutter contre l'homme énergique, intelligent et très influent qu'était M. de Tarlay lui apparaissait œuvre folle. Mieux valait, dans la catastrophe, sauver ce qui pouvait l'être, c'est-à-dire se soumettre à l'ultimatum de Christian.

Il objecta cependant :

— Vous n'avez pas de preuves... vous ne pouvez pas en avoir des faits que vous me reprochez. Au reste, serais-je coupable, que la prescription existe maintenant.

Christian leva les épaules en couvrant le misérable d'un regard méprisant :

— Aussi ne vous ai-je pas dit que je vous enverrais au bagne, mais que je vous déshonorerais aux yeux de tous, en vous faisant enlever en outre le fruit de vos rapines, qui, elles, sont passibles encore d'une action judiciaire. Quant aux preuves, sachez qu'un des meilleurs policiers de notre époque m'a assuré pouvoir en réunir assez pour vous faire pendre. Si cela ne vous suffit pas, vous êtes difficile.

Cette fois, Parceuil comprit l'inutilité de lutter davantage contre cet adversaire plus fort que lui, dont il savait désormais n'avoir à attendre aucun ménagement. Il dit sourdement :

— Eh bien, soit ! Mitsi est à Paris, chez Mlle Bolomeff, 10, rue de la Bûcherie.

— Qu'est-ce que cette personne?

Impudemment, Parceuil affirma :

— Une personne fort honorable, qui la soigne très bien...

— Je le souhaite pour vous, car s'il lui était arrivé malheur, je vous affirme que je saurais vous en faire repentir amèrement !

Parceuil frissonna un peu sous le dur regard plein de menace et pensa : « Pourvu qu'Anna ne l'ait pas trop malmenée ! »

Christian ajouta, du même ton bref et méprisant :

— Il est inutile de chercher à m'échapper, je vous en avertis, car vous allez être surveillé de près. Je vais donner l'ordre de vous apporter ici vos repas, sous prétexte que vous êtes souffrant. Et vous ne quitterez pas cet appartement jusqu'à ce que je vous en donne l'autorisation... Maintenant écrivez un mot pour cette dame Bolomeff, en lui donnant l'ordre de me remettre Mitsi..

Quand ce fut fait, M. de Tarlay se tourna vers sa grand-mère qui demeurait figée sur place, les traits crispés, le visage maintenant blême de rage et d'angoisse :

— Veuillez venir avec moi; j'ai à vous parler.

Elle le suivit, comme un automate, jusqu'à son propre appartement. Là, ayant fermé la porte du salon, Christian se tourna vers elle :

— Je crois deviner le motif qui vous a portée à devenir la complice de cet homme, grand-mère : c'est votre aveugle idolâtrie pour moi. Par respect filial, je ne veux vous adresser aucun reproche. Ayant l'intention d'épouser ma cousine Mitsi, je vous donnerai la jouissance d'une des maisons qui m'appartiennent à Paris; vous y aurez un appartement et toucherez les revenus des autres loyers, qui vous assureront une existence confortable. Mes instructions à ce sujet vont être données au gérant et vous pourrez prendre vos dispositions pour vous y installer prochainement.

Christian parlait sans colère apparente, avec un calme glacial, qui semblait à la présidente plus terrible que la violence. Elle voulut essayer de se défendre encore; mais il l'interrompit aussitôt :

— Non, c'est inutile. Votre haine à l'égard de Mitsi m'a éclairé mieux que tout. Mais c'est par vous, grand-mère, que me vient une des plus grandes souffrances qui puissent m'atteindre.

Il sortit sur ces mots, laissant Mme Debrennes effondrée, car tout s'écroulait pour elle : son petit-fils la mettait à l'écart de son existence, elle perdait la situation dont elle était si vaniteuse et, comme couronnement, Mitsi, cette Mitsi abhorrée, deviendrait la femme de Christian, occuperait la place où Mme Debrennes avait rêvé de voir Florine, pour continuer elle-même son règne !

Après un bref entretien avec Svengred, Christian fit de nouveau appeler Marthe et lui apprit que Mitsi ne se trouvait pas à Sainte-Clotilde.

La pauvre fille s'exclama :

— Est-ce possible?... Mais c'est pourtant bien là qu'elle comptait aller !... Et elle était un peu consolée à l'idée de retrouver ses bonnes religieuses. Où donc M. Parceuil l'aurait-il emmenée, en ce cas?

— Je l'ai forcé à me le dire. Mais fasse le Ciel qu'il ne lui soit pas arrivé malheur !... Vous voyez donc, Marthe, comme la pauvre enfant a eu tort de se confier à cet homme...

— Hélas! monsieur le vicomte !... Mais elle avait si peur de...

Comme elle s'interrompait, gênée, Christian acheva :

— De moi, n'est-ce pas?... C'était naturel. Toutefois, ce que je lui écrivais aurait dû lui faire comprendre que la situation était changée.

— Mais elle n'a pas lu la carte de Monsieur... A peine l'a-t-elle eue entre les doigts qu'elle l'a déchirée en petits morceaux...

Christian eut un brusque mouvement et dit, la voix un peu étouffée par l'émotion :

— Elle ne l'a pas lue?... Ah! je comprends mieux alors...

Après un court silence, il ajouta :

— Préparez-vous à m'accompagner à Paris. Je vais chercher Mitsi, là où M. Parceuil l'a conduite. Mais elle aura probablement besoin de vos services et, en tout cas, votre présence la rassurera sur mes intentions.

Marthe s'éloigna, quelque peu abasourdie par cette suite d'événements... Christian se tourna vers son ami. Un pli barrait son front, une ombre couvrait son regard :

— Elle m'en veut, cette petite Mitsi... beaucoup, probablement. Sans doute refuserait-elle de me suivre, si je n'emmenais Marthe. Aussi vais-je apprendre une partie de la vérité à cette fille, qui est honnête et discrète, pour qu'elle puisse convaincre Mitsi de ma loyauté... Quant à toi, mon ami, je te charge de veiller sur ce misérable Parceuil. Dès que j'aurai mis ma cousine en sûreté, rue de Varenne, je reviendrai ici pour en chasser le personnage.

— Sois sans crainte, je le tiendrai de près, affirma Svengred. Mais envoie-moi une dépêche pour me dire si tu as réussi !

— Entendu, mon cher Olaüs... Et merci de ton dévouement.

Ils se serrèrent longuement la main. Le regard affectueux et mélancolique de Svengred enveloppa l'énergique physionomie de Christian, ce visage un peu altéré par l'inquiétude, par la souffrance morale que M. de Tarlay avait ignorée jusqu'ici, ces yeux foncés, caressants et dominateurs, dont le charme était irrésistible. Avec un léger serrement de cœur, le jeune Suédois pensa : « Elle lui pardonnera vite... et elle l'aimera de toute son âme, cette jolie Mitsi. »

7

Mitsi n'avait pas quitté son lit, depuis qu'elle s'y était étendue à demi inconsciente, sous l'influence du narcotique administré par Anna. La fièvre la brûlait, la soif desséchait sa gorge, car la Bolomeff, fidèle à sa menace, ne lui apportait ni aliments ni boisson. La malheureuse enfant se résignait à la mort et souffrait courageusement. Parfois, cependant, une crise d'abattement survenait. Alors elle songeait : « Si j'avais voulu, mon sort aurait été tout autre... « Il » m'aimait, disait-il, et il promettait de me rendre heureuse. »

Puis elle frissonnait d'horreur, de révolte contre elle-même, et son âme douloureuse, éperdue, jetait vers le Ciel un cri de supplication, de foi, d'humble ferveur. N'avait-elle pas dit à Marthe qu'elle aimerait mieux mourir dix fois que de céder au tentateur ? Eh bien, Dieu la prenait au mot en l'enlevant bientôt de cette terre où, pauvre isolée, elle n'aurait su que devenir. Il y avait un pénible passage à franchir, dans cet abandon, dans cette privation de tout ce qui, spirituellement et matériellement, console. adoucit les souffrances des mourants. Mais ensuite, elle trouverait le repos, la joie pure, sans fin... et plus de tentation... Oh ! plus de ces troubles d'âme, de ces frissons, de ces détresses qu'elle avait connus pendant son séjour à Rivalles !

Une fois dans la journée, Anna ouvrait la porte, jetait un coup d'œil sur elle et demandait :

— Voulez-vous vous lever pour travailler?

Mitsi répondait :

— Vous voyez bien que cela m'est impossible.

Et la femme s'éloignait en haussant les épaules.

Ne sachant plus les heures, somnolant lourdement une partie du jour, Mitsi ne se rendait pas compte du temps écoulé depuis son entrée dans cette maison... Comme elle n'attendait aucun secours, puisque Marthe la croyait à Sainte-Clotilde et, en tout cas, ne pourrait savoir où l'avait conduite son tuteur, la jeune fille, accablée par la faiblesse physique, n'avait d'espoir qu'en la mort, pour l'enlever à sa geôlière. Aussi ne comprit-elle pas d'abord quand, dans l'après-midi du quatrième jour, Anna entra et lui dit avec un accent mielleux dont elle n'avait pas usé jusqu'ici :

— Voici vos vêtements. Habillez-vous vite, car il y a là votre cousin qui vient vous chercher.

— Mon cousin?

Mitsi se soulevait sur le grabat en regardant la femme avec des yeux brillants de fièvre.

— Oui, un bien beau garçon, qui m'a remis un mot de M. Parceuil, me disant de vous laisser partir avec lui.

Mitsi frémit longuement. Elle comprenait qui était ce cousin. Mais allait-elle donc retrouver ce qu'elle avait voulu fuir?

A ce moment, au seuil du taudis, apparut Marthe qui, sur l'ordre de son maître, avait suivi la femme... Mitsi eut un sourd cri de joie, en tendant les bras vers elle :

— Marthe !... ma bonne Marthe !... Oh ! emmenez-moi vite d'ici !

Obséquieuse maintenant, l'hôtesse proposa :

— Il faudrait que vous preniez un peu de nourriture?... J'ai du bouillon...

Mais Mitsi murmura :

— Non, non... rien !... je ne veux rien prendre dans cette maison !

Elle se laissa habiller par Marthe, toute saisie d'émotion en la voyant si faible. Puis, soutenue par la bonne fille, elle quitta le taudis où elle venait de passer des heures si douloureuses.

Christian l'attendait dans le couloir de l'hôtel. En la voyant apparaître, chancelante, le visage empourpré par la fièvre, il eut un mouvement d'angoisse... Elle, un instant, s'arrêta, recula presque, en l'apercevant. L'effroi, la défiance, une sorte de détresse se mêlaient en son regard.

Il s'avança impulsivement, le bras étendu vers elle pour lui offrir un appui :

— Venez vite, ma pauvre Mitsi ! J'ai là une voiture...

Elle dit d'une voix basse, oppressée :

— Où me conduisez-vous ?

— Rue de Varenne, dans la demeure qui fut celle de votre grand-oncle, celle aussi de votre père. Vous y habiterez avec Marthe et je ne viendrai vous y voir que lorsque vous m'y autoriserez.

— Non, je ne veux pas cela... Faites-moi conduire à Vorgères, au pensionnat.

— Pas dans l'état où vous êtes, ma pauvre enfant ! Puis, j'ai beaucoup de choses à vous apprendre... des révélations à vous faire, qui vous montreront votre existence toute changée.

Elle n'objecta plus rien. Vaincue par la faiblesse, elle se sentait incapable de résister davantage. Détournant la tête, paraissant ne pas voir ce bras qui s'offrait à elle, Mitsi gagna le fiacre qui attendait. Sur un signe de son maître, Marthe prit place près d'elle et soutint entre ses bras la jeune fille qui, à bout de forces, perdait à demi connaissance.

Ce fut une grave rechute de la maladie qui avait manqué d'emporter Mitsi. Dans un des appartements du premier étage où Christian l'avait fait transporter, l'orpheline lutta de nouveau plusieurs jours contre la mort, et celle-ci fut vaincue, cette fois encore.

Marthe et une religieuse se relayaient pour soigner Mitsi. Christian, qui avait pris un appartement à l'hôtel Meurice, venait deux fois par jour s'informer de ses nouvelles. Il avait fait une courte apparition à Rivalles pour exécuter Parceuil, puis avait regagné Paris avec son ami. Quant à la présidente, elle préparait son départ. Cette catastrophe l'avait, en quelques jours, vieillie de plusieurs années. Florine, à qui elle n'avait naturellement dit qu'une partie de la vérité au sujet de cette disgrâce, s'emportait furieusement contre « l'odieuse Mitsi » dont Christian avait réhabilité la mère et qu'il prétendait faire rentrer dans ses soi-disant droits. La belle Mlle Dubalde faisait ses malles, elle aussi, pour regagner le petit appartement paternel. Et bien que la présidente l'eût invitée à résider souvent chez elle, Florine songeait que ce séjour n'aurait plus rien de comparable à l'hospitalité fastueuse, aux distractions dont elle avait joui dans les résidences du vicomte de Tarlay.

Et puis, lui, Christian, ne serait pas là... et elle comprenait bien que, filleule et favorite de Mme Debrennes, elle se trouverait englobée dans le ressentiment dont M. de Tarlay faisait peser le poids sur son aïeule. C'était la fin d'une chimère poursuivie pendant bien des années, et pour laquelle Mlle Dubalde avait refusé de bons partis... si bien qu'aujourd'hui, atteignant la trentaine, ayant perdu sa fraîcheur, la belle Florine se voyait avec effroi réduite au revenu assez mince de la fortune qui lui venait de sa mère, sans pouvoir compter désormais sur la générosité de la présidente, celle-ci ayant déclaré en gémissant que la rente — fort belle pourtant — dont son petit-fils lui « faisait l'aumône » suffirait tout juste à lui assurer une existence à peu près convenable.

Mitsi, ignorante de ces événements, sortait peu à peu de la torpeur résultant de la fièvre. Très affaiblie, elle n'avait d'abord presque plus de pensée... Puis elle put bientôt se rendre compte de l'élégance sobre, du confort luxueux qui l'entouraient. Alors, elle demanda à Marthe :

— Où suis-je, ici ?

— A l'hôtel de Tarlay, ma chère petite Mitsi.

Elle répéta d'une voix étouffée ;

— A l'hôtel de Tarlay !

Puis la mémoire lui revint de tout ce qui avait précédé son départ de chez la Bolomeff, et des paroles, du regard de Christian, qu'elle avait tant craint de rencontrer à nouveau, et qui était à ce moment-là si ardemment tendre.

Elle enfouit son visage tout à coup brûlant dans l'oreiller de batiste et ne fit pas d'autres questions ce jour-là.

Le lendemain, elle demanda avec un frémissement dans la voix :

— M. de Tarlay est-il à Rivalles ?

— Non, il y va seulement de temps à autre, pour jeter un coup d'œil aux forges... car M. Parceuil n'est plus directeur, grâce au ciel !

— Comment ?... Serait-ce possible ?

— Oh ! il s'est passé bien des choses !... Et M. le vicomte doit vous demander de le revoir dès que vous le pourrez, car il a de grandes nouvelles à vous apprendre, Mitsi, des nouvelles qui changeront toute votre vie.

Mitsi dit farouchement :

— Non, non, je ne veux pas le voir !

— Il le faudra pourtant, je vous assure !... Et

maintenant, vous n'avez plus rien à craindre. Croyez-
en la parole d'une amie dévouée, chère Mitsi.

— Pourquoi?... Vous savez quelque chose, Marthe?

— Oui, mais je n'ai pas la permission de rien vous
dire.

— Alors, taisez-vous... mais ne me parlez plus de
lui.

Et Mitsi s'enferma dans une rêverie sombre qui
parut devenir son état habituel, les jours suivants,
tandis que s'accentuaient les progrès de sa convalescence.

Christian, mis au courant par Marthe de cette
étrange humeur, s'en inquiéta et fit part de son
anxiété à Svengred, qu'il voyait chaque jour :

— Il doit y avoir là une sorte de rancune un
peu maladive, qui la portera peut-être à refuser
de me recevoir... Pourtant, il faut que je lui parle,
que je lui explique tout... et que je lui demande de
devenir ma femme, car cette situation ne peut se pro-
longer.

— En effet. Et même, de toute façon, il serait
bon qu'elle eût près d'elle un chaperon, jusqu'à votre
mariage.

— Je pourrais demander à ma cousine, Mme Vannier, de venir remplir ce rôle. Mitsi est sa parente
au même degré que moi. C'est une excellente personne, pas très intelligente, mais fort serviable,
et qui, lorsque je lui aurai bien expliqué la situation, sera certainement charmée de servir de mère
à la fille de Georges, qu'elle avait en grande affection.

— Ce serait une bonne solution.

— Oui... mais il faut auparavant que je voie Mitsi.
Qu'elle soit au courant des événements qui ont
changé sa vie. Or, je crains qu'elle soit longue à
vouloir me recevoir.

— Si tu le désires, je puis lui faire demander une

entrevue, lui raconter ce que j'ai appris là-bas... et puis lui dire ce que tu souhaites.

Christian saisit les mains de son ami et les pressa énergiquement :

— Non, Olaüs, non ! Je n'ai déjà que trop demandé à ton amitié ! Ce nouveau sacrifice, je ne l'accepterai pas !

Svengred secoua la tête, en souriant avec mélancolie :

— Si, accepte-le sans scrupule, mon cher Christian. J'ai un cœur plus calme que le tien, et qui sait se résigner, se soumettre à la volonté divine, envisager sans trop d'effroi, parfois même avec une sorte de joie, la perspective de la mort qui me guette. Mon père a quitté ce monde vers la trentaine, et j'ai la même maladie que lui...

— Mon ami, ne te laisse pas aller à ces pensées désolantes !

— Je ne puis me bercer d'illusions à ce sujet, Christian. Mais pour revenir à Mitsi, j'irai la voir, dès qu'elle sera mieux, et je lui parlerai... Je plaiderai ta cause, en bon avocat, je te l'affirme !

— Oh ! je ne doute pas de toi, cher Olaüs ! Tu es mon seul véritable ami — celui qui ne m'a jamais flatté hors de propos et n'a pas craint de me faire sentir mes torts. Aussi possèdes-tu ma plus profonde estime, mon affection et ma confiance entière, que je te prouve en acceptant ce que tu m'offres si généreusement.

Mitsi, en recevant quelques jours plus tard la demande d'entrevue du jeune Suédois, éprouva tout d'abord quelque surprise. Elle avait très peu vu Svengred et songeait : « Que peut-il me vouloir ?... Est-ce M. de Tarlay qui l'envoie ? » Cependant, comme il lui avait laissé une impression de sympathie et de confiance, elle hésita peu avant de lui faire répondre qu'elle le recevrait volontiers.

Il vint le lendemain et fut introduit par Marthe dans le salon où Mitsi, assise en une profonde bergère, l'attendait, un peu nerveuse, et si pâlie, si changée, que le jeune homme en éprouva d'abord un saisissement.

Mais elle restait toujours la jolie petite Mitsi, avec ses cheveux noirs formant des boucles autour de son front satiné, sa petite bouche frémissante, ses yeux veloutés où la faiblesse physique mettait une captivante langueur.

Après avoir demandé à la jeune fille des nouvelles de sa santé, Svengred entra aussitôt dans le vif du sujet, raconta comment, sur la demande de Christian, il avait entrepris l'enquête qui, très vite, aboutissait à révéler tous les mensonges de Parceuil et le crime commis sur la pauvre Ilka. Mitsi, les mains jointes, frissonnante, écoutait avidement, l'interrompant parfois pour poser une question, murmurant douloureusement :

— Ma pauvre maman !... Et ils te couvraient de boue !... Ils n'avaient pas assez de mépris pour la fille de la ballerine !

— Christian a chassé de chez lui ce gredin. Quant

à Mme Debrennes, qui le protégeait, elle a quitté la demeure de son petit-fils et vivra maintenant chez elle. Vos ennemis sont donc punis, mademoiselle, et Christian va s'occuper de vous faire rentrer dans vos droits, c'est-à-dire de vous rendre la fortune de votre père, augmentée de tous les intérêts et bénéfices...

Elle l'interrompit en se redressant, le visage empourpré, les yeux étincelants :

— Je ne veux rien, rien de lui !... Dès que j'en aurai la force, je quitterai cette demeure où il m'a amenée sans que j'en aie conscience, et je chercherai du travail...

D'un geste apaisant, Svengred posa sa main sur celle de la jeune fille, toute brûlante :

— Ne parlez pas comme une enfant, mademoiselle Mitsi. Cette fortune vous appartient, et la plus élémentaire probité interdirait à Christian de la conserver. Il en a joui jusqu'ici par ignorance, croyant sincèrement que Georges Douvres n'avait pas contracté d'union légitime, et que votre pauvre mère était une femme indigne. Mais maintenant qu'il sait toute la vérité, ce qui vous appartient vous sera intégralement remis. En outre, il vous reconnaît officiellement pour sa cousine... en attendant que vous lui permettiez de vous donner un autre nom.

D'une voix brève, un peu saccadée, Mitsi demanda, en attachant sur son interlocuteur des yeux devenus très sombres :

— Que voulez-vous dire, monsieur ?

— Mon ami sait qu'il a beaucoup à se faire pardonner... Il a éprouvé de profonds regrets, il a beaucoup souffert de vos souffrances, dont il était la cause. Moi qui le connais bien, je puis vous assurer de sa sincérité. Il vous aime, mademoiselle, très ardemment... et il vous demande de lui accorder votre main.

Mitsi bondit sur son fauteuil :

— Moi !... moi ! Il ose !... Il croit donc que j'ai oublié ?

Svengred, abasourdi par cette véhémence, par la farouche colère du regard, balbutia :

— Mais, mademoiselle, c'est précisément avec le grand désir de réparer le tort qu'il a fait...

Elle riposta âprement :

— Alors, il croit que parce qu'il daignera, maintenant que je suis bien vraiment sa cousine, et riche, me donner son nom, tout sera réparé ? — tout, c'est-à-dire ce que j'ai enduré de souffrances physiques et plus encore morales, et le déshonneur immérité, et... et enfin tout ce que je souffre, ô mon Dieu !... tout ce que je souffre !

Elle mit son visage entre ses mains et Svengred vit ses épaules qui se soulevaient convulsivement.

Bouleversé jusqu'au fond de l'être, il la regardait, ne sachant plus que dire devant cette révolte et cette douleur. L'âme fière, ardente et profondément sensible de Mitsi se dévoilait à ses yeux, et il pensait avec un peu d'angoisse : « Christian l'a profondément blessée. Il aura peut-être plus de peine que je ne le croyais à fermer cette plaie. »

Mitsi, enfin, laissa retomber ses mains, montrant son visage empourpré, ses yeux brillants de larmes :

— Pardonnez-moi... mais j'ai passé par de si pénibles moments que je ne suis plus maîtresse de mes nerfs.

— Mais, mademoiselle, croyez que je vous comprends très bien, et que j'admire la fierté de votre caractère. C'est elle, aussi, qui a ouvert les yeux de Christian, qui lui a fait faire un retour salutaire sur lui-même. Voyez-vous, il a été fort gâté par la vie, ce cher Christian, mais je vous assure qu'il est bon, loyal, capable d'un attachement très vif et très fidèle, et d'une grande estime pour la femme qui aura su le mériter. Pour avoir connu dans le monde trop de coquettes ou d'âmes faibles, il était devenu sceptique sur la vertu féminine. Vous avez changé ses idées par votre admirable attitude...

Une sorte de rire étouffé — au fond était-ce un rire ou un sanglot? — interrompit le jeune homme. Mitsi le regardait avec une ironie douloureuse, tandis qu'un pli de mépris soulevait sa lèvre :

— Malheureusement, je n'ai pas du tout votre confiance à l'égard des bons sentiments de votre ami. M. de Tarlay n'a pas eu pitié d'une pauvre enfant seule, sans protection, obligée de vivre sous son toit, et qui donnait à son fils tout ce qu'elle pouvait d'affection, de sollicitude. Il m'a réduite à fuir comme une malheureuse, et à passer pour coupable aux yeux de ses hôtes, de sa domesticité, de tout le pays. Après cela, qu'il ait eu des remords, je n'en sais rien... ou plutôt, je l'en crois incapable...

— Mademoiselle, ne soyez pas injuste !

Mais Mitsi poursuivait avec une âpreté croissante :

— Oui, je l'en crois incapable, cet homme qui n'a toujours cherché dans la vie que jouissance, que satisfaction personnelle, qui n'a témoigné qu'indifférence pour ce pauvre petit Jacques, si attachant cependant... Et il voudrait que j'oublie... que je devienne sa femme, moi, sa victime... moi qui le déteste !

— Mitsi, ne parlez pas ainsi !... car je suis certain que vous ne pensez pas ce que vous dites !

Svengred se penchait pour prendre la main brûlante de la jeune fille. Elle riposta violemment :

— Si, je le pense !... Et vous le lui direz ! Qu'il me laisse en paix, voilà tout ce que je lui demande.

— Vous ne parlez pas raisonnablement, ma chère enfant. Votre ressentiment — d'ailleurs un peu légitime — vous égare, vous cache la situation réelle.

Je vous affirme que vous vous trompez au sujet de Christian. Si coupable qu'il ait été, en cédant au sentiment très ardent que vous lui inspiriez, il n'est pas l'homme dépourvu de cœur et de conscience que vous vous imaginez. En toute loyauté, il souhaite vous donner son nom, à la fois pour vous entourer de soins et d'affection, et pour réparer le tort qu'il vous a fait dans votre réputation.

Mitsi demanda, en attachant sur le jeune Suédois ses grands yeux bleus pleins d'angoisse :

— Si je ne l'épousais pas, est-ce que, véritablement, cette réputation resterait compromise ?

— Je veux vous répondre franchement : oui, je le crains.

Il vit frémir les épaules amaigries, sous la cotonnade claire de la robe d'intérieur.

— Et vous, monsieur, croyez-vous que je... que je mérite cette réprobation ?

Il s'écria, dans un élan de toute son âme :

— Oh ! non, non ! Pas un instant je ne l'ai cru !

Le regard douloureux s'éclaira de joie. En serrant la main de Svengred, Mitsi dit ce seul mot :

— Merci !

Puis, le front sur sa main, les paupières baissées, elle s'absorba dans une réflexion que ne troubla pas Svengred. Il voyait trembler ses lèvres, frémir ses longs cils noirs, et pensait avec émotion : « Pauvre petite, qui connaît déjà si bien les tourments de la vie, les angoisses de l'avenir ! »

Mitsi, relevant la tête, mit tout à coup sa main sur celle du jeune homme :

— Monsieur, en faisant abstraction de votre amitié pour M. de Tarlay, dites-moi si vous me conseillez ce mariage ?

Sans hésitation, il répondit :

— Oui, mademoiselle. Je connais Christian, je réponds de ses sentiments à votre égard...

Mais elle l'interrompit avec une vivacité qui était presque de la violence :

— Ne me parlez pas de cela, je vous en prie ! Si je me décidais à devenir sa femme, ce n'est pas parce que... parce qu'il a la fantaisie de m'aimer...

Un pli de douloureux dédain se creusait au coin de sa lèvre :

— ... Mais seulement pour obtenir la réparation qu'il me doit. Je lui pardonne, parce que ma religion me l'ordonne, mais rien ne pourra faire que j'oublie ce qui s'est passé. Vous le lui direz, monsieur, n'est-ce pas ?... Et s'il accepte cette situation, si, de mon côté, la réflexion m'incite à accepter ce qu'il m'offre... eh bien, je deviendrai sa femme.

Ces derniers mots furent prononcés d'une voix basse, presque étouffée.

Svengred se retira fort impressionné par cette entrevue, qui lui avait montré Mitsi beaucoup plus montée contre Christian qu'il n'avait pu l'imaginer. En rapportant fidèlement à son ami les paroles de la jeune fille, il ne lui cacha pas qu'il faudrait sans doute beaucoup de patience et de délicatesse pour venir à bout de cet état d'esprit.

— Elle a bien raison de m'en vouloir ! déclara sincèrement M. de Tarlay. Je ne l'en estime que davantage, pour ne pas aussitôt me dire : « Tout est oublié... » Mais enfin, j'espère que, quoi qu'elle affirme, cette rancune ne sera pas éternelle, et que je saurai obtenir cet oubli, peu à peu, en même temps que lui inspirer la confiance qu'elle me refuse aujourd'hui.

— Alors, tu veux toujours ? interrogea Olaüs.

Christian dit ardemment :

— Comment, si je veux ? Mais plus que jamais ! Je la conquerrai, ma farouche petite Mitsi, ma petite âme blanche... et je me vengerai en faisant d'elle une femme très heureuse !

9

Le lendemain, Svengred se présentait à l'hôtel de Tarlay, apportant à Mitsi la réponse de Christian et venant chercher la sienne. Mitsi avait passé des heures pleines d'angoisse, débattant le pénible problème qu'il lui fallait résoudre. Marthe, consultée, optait pour le mariage, qui réparerait le tort fait à la jeune fille. Mais Mitsi, avec un singulier sentiment de détresse et de trouble, songeait qu'elle ne pourrait vivre près de cet odieux Christian, dont le souvenir la faisait frissonner de colère et d'effroi.

Pourtant, elle comprenait bien que ce mariage était pour elle presque une nécessité, après la façon dont M. de Tarlay l'avait compromise. Mais, sans en avoir conscience, elle en voulait davantage à Christian parce qu'il l'obligeait, en quelque sorte, de céder à sa volonté. Ce fut ce sentiment d'amertume, de ressentiment, de révolte, mêlé à la crainte étrange qu'elle éprouvait à l'idée de le revoir, qui dicta ces paroles qu'elle adressa à Svengred, quand il lui eut rapporté la réponse de Christian :

— Puisque M. de Tarlay accepte ce que je peux lui donner, c'est-à-dire l'assurance d'être fidèle à mes devoirs, je consens de mon côté à l'épouser. Mais je voudrais qu'il attendît encore, car je... je suis encore très souffrante, et il me sera si pénible...

Elle rougissait, pâlissait, tandis que tremblaient ses lèvres.

— Christian se ferait certainement un devoir d'accéder à votre désir, mademoiselle... mais songez que la situation est un peu délicate. Mieux vaudrait qu'elle fût réglée sans trop de retard... Un mois vous paraîtrait-il un délai raisonnable?

Elle soupira, en froissant nerveusement l'une contre l'autre ses mains amaigries :

— Un mois!... que c'est court... Enfin, puisqu'il le faut !

Puis, avec un regard où se mêlaient singulièrement la prière et une sorte de détresse, elle dit tout bas :

— Vous lui demanderez de ne pas venir encore... d'attendre que... que je sois un peu remise. Il me sera si pénible de le revoir... après ce que j'ai souffert par lui !

— Certainement, Christian se conformera à votre désir, mademoiselle. Il ne se présentera devant vous que lorsque vous le voudrez bien.

Quand, un peu après, Svengred fit part à son ami de cet entretien, Christian, se mordant la lèvre, dit à mi-voix, non sans amertume :

— Comme elle se venge, cette petite Mitsi !

Svengred pensa, avec un mélange d'ironie et de compassion : « Oui, mon beau Christian, tu n'es pas habitué à cela. J'espère que l'épreuve te sera salutaire, et que tu n'en aimeras que plus fortement celle par qui tu connais enfin la souffrance... l'indispensable souffrance qui trempe les âmes et les rend pitoyables au maux d'autrui ! »

Une huitaine de jours plus tard, Mitsi vit arriver à l'hôtel de Tarlay une petite femme septuagénaire, vêtue avec une élégance de bon ton et possédant une aimable physionomie qui plut aussitôt à la jeune fille. C'était Mme Vannier, cousine de Christian et de Mitsi. Sur la demande de M. de Tarlay, elle arrivait de Normandie, où elle passait l'été, pour venir servir de chaperon à cette jeune parente inconnue. Mitsi en avait été informée par un mot de son fiancé — car celui-ci, obéissant à son désir, ne l'avait pas encore revue.

Mme Vannier avait la plus grande admiration pour Christian et dès le premier jour elle voulut entamer son éloge. Mais Mitsi l'interrompit aussitôt, avec une nerveuse vivacité :

— Je vous serais reconnaissante de ne jamais me parler de lui.

Interloquée, la vieille dame balbutia :

— Mais, mon enfant... est-ce que, sérieusement, vous lui gardez rancune à ce point ?

Comme Mitsi ne lui répondait pas et tenait obstinément baissés les yeux que cherchait à rencontrer sa parente, celle-ci lui prit les mains et se pencha pour l'embrasser, en disant à mi-voix, avec un petit sourire amusé :

— Voyons, ce n'est pas sérieux ?... car il est impossible que vous ne l'aimiez pas à la folie, ce cher Christian !

Mitsi retira brusquement ses mains, avec un rire sourd, presque douloureux :

— L'aimer !... à la folie ! Ah ! par exemple ! S'il compte sur moi pour cela !...

Et, passant sur son front une main fiévreuse, elle ajouta d'un ton de prière :

— Je vous en prie, qu'il ne soit plus question de lui !

Mme Vannier n'insista pas. Mais elle restait sceptique et pensait que la première entrevue entre les fiancés remettrait tout au point.

En attendant que Mitsi se décidât à mettre un terme à l'attente de Christian, la vieille dame commença de sortir avec elle pour organiser son trousseau, faire confectionner ses toilettes. Secrètement, sans en rien dire à sa jeune compagne, elle suivait les instructions de Christian, qui voulait que rien ne fût épargné pour sa fiancée. Mitsi, lasse, indifférente, se laissait

226

faire et voyait approcher avec angoisse la date fixée pour le mariage.

« Il faut pourtant que je le revoie avant... il le faut », songeait-elle en frémissant.

Et chaque jour, elle retardait en se disant : « Demain... demain je serai plus forte, plus courageuse ! »

Un après-midi, Mme Vannier se rendant à un concert, elle se décida à l'accompagner, au dernier moment. Comme elles quittaient la salle, à la fin de l'audition, Mitsi vit à quelques pas d'elles une haute silhouette élégante, un fier et beau visage, des yeux ardents qui s'attachaient à elle, passionnément.

Elle frissonna et crut que son cœur cessait de battre, sous la violence de l'émotion. Son regard se détourna... Puis elle pensa : « Aujourd'hui... ou demain... puisqu'il le faut... Et mieux vaut ici, au milieu de ces étrangers. »

Alors, en se raidissant un peu, elle tourna de nouveau la tête vers Christian qui continuait de la regarder, avec la même ardeur concentrée. Puis elle dit à Mme Vannier, en essayant de donner un ton naturel à sa voix :

— M. de Tarlay est là, madame. Si vous le voulez, nous pouvons aller vers lui.

— Certes, mon enfant.

Et la vieille dame fit quelques pas dans la direction où se trouvait Christian.

Mais lui, ayant compris l'intention de Mitsi, s'avançait déjà, un peu pâle, contenant son intense émotion. Il s'inclina, serra la main de sa parente, puis celle qu'après une visible hésitation lui tendait Mitsi.

— Je vous remercie de me donner cette joie !

Il parlait à mi-voix, en la regardant avec une adoration brûlante... Et ce regard rencontra un petit visage tendu, impassible, des yeux sombres qui se dérobaient sous leurs cils tremblants.

Mme Vannier se mit à discourir aussitôt, pour atténuer la gêne de cette première rencontre. Puis elle demanda, en s'adressant à la jeune fille qui restait silencieuse :

— Nous invitons ce soir Christian à dîner, n'est-ce pas, chère petite ?

Avec effort, en gardant sa même contenance impassible, Mitsi répondit :

— Certainement, madame.

Christian les accompagna jusqu'à leur voiture et les quitta avec un « à bientôt » qui ne rencontra d'écho que chez Mme Vannier. L'attitude de Mitsi l'avait impressionné. Mais tandis que son coupé, emporté par deux admirables trotteurs, l'emmenait vers l'hôtel Meurice, il songeait avec la confiance de l'homme très amoureux et du conquérant sûr de son pouvoir : « Je l'aurai vite rassurée, ma petite Mitsi très chère. Le premier pas est fait. Maintenant, je la verrai chaque jour, et je saurai plaider ma cause ! »

En rentrant dans son appartement à l'hôtel de Tarlay, Mitsi, après avoir remis son chapeau et sa jaquette entre les mains de Marthe, promue au grade de femme de chambre, alla s'asseoir d'un air lassé dans le salon décoré des fleurs merveilleuses envoyées chaque jour par son fiancé. Elle demeura un long moment immobile, les lèvres serrées, les yeux mi-clos. Puis, se levant tout à coup, elle alla vers un bonheur-du-jour et prit dans d'un des tiroirs un écrin qu'elle ouvrit.

Une bague reposait là, sur le satin blanc — la bague de fiançailles que Christian lui avait fait remettre par Mme Vannier. Mitsi ne l'avait pas portée encore... Elle la prit d'une main tremblante, la mit en hésitant à son doigt... puis elle la retira et la jeta dans le tiroir en murmurant d'une voix brisée :

— Non, non, je ne peux pas !

Marthe apparut à ce moment au seuil du salon.

228

— Quelle robe Mademoiselle veut-elle mettre ce soir ?

— N'importe laquelle, ma bonne Marthe.

— La mauve, qui va si bien à Mademoiselle ?

— Celle que vous voudrez, Marthe. Cela m'est tellement indifférent !

Marthe lui jeta un coup d'œil anxieux. Elle s'étonnait et s'inquiétait de voir cette charmante Mitsi, qui semblait autrefois d'humeur égale, devenir nerveuse, un peu fantasque, avec des moments de sombre rêverie. Toutefois, se rencontrant en ceci avec M. de Tarlay, elle pensait que celui-ci aurait vite fait de changer cet état d'esprit, qui influait défavorablement sur la santé de la jeune fille.

Quand Christian, un peu avant l'heure du dîner, entra dans le salon où se tenaient Mme Vannier et Mitsi, il vit sa fiancée debout au seuil d'une des portes-fenêtres donnant sur le jardin de l'hôtel. Les derniers reflets du jour enveloppaient sa fine silhouette, sa petite tête aux brillantes boucles noires. Elle tenait les yeux un peu baissés, et ne les releva pas quand Christian s'approcha d'elle. D'un mouvement lent qui hésitait encore, elle lui présenta sa main. Il se courba, appuya doucement ses lèvres... Et il sentit alors qu'elle se raidissait pour ne pas la lui retirer.

Pendant toute la soirée, elle conserva cette même attitude rigide, ce même air fermé, indifférent, qu'elle avait eu cet après-midi en le revoyant. Cependant, elle se mêlait à la conversation, mais dès qu'elle le pouvait sans impolitesse, elle gardait le silence, tenant ses paupières demi-baissées, comme si elle craignait de rencontrer le regard de Christian — ce regard brûlant, inquiet, qui ne la quittait pas.

Vers le milieu de la soirée, sous le prétexte de donner un ordre à sa femme de chambre, Mme Vannier s'éclipsa discrètement pour laisser un instant les fiancés en tête à tête. Mitsi, avec un air de lassitude, appuyait sa tête au dossier d'une bergère. La lumière des bougies qui garnissaient les candélabres de bronze éclairait son visage délicat, son cou fin, d'une blancheur mate, qu'entourait un ruban de velours noir auquel pendait un médaillon d'or émaillé, récent cadeau de Mme Vannier... Christian, quittant son fauteuil, vint s'asseoir près d'elle et prit sa main, qu'elle lui abandonna, toute glacée. Il dit à mi-voix, en essayant encore de rencontrer ce regard qu'elle tenait obstinément baissé :

— Avez-vous froid, chère Mitsi ?

— Non, je vous remercie.

— Dites-moi vous-même que vous m'avez pardonné !

Il la regardait avec une supplication passionnée. Du même accent indifférent, sans lever les yeux sur lui, elle répondit :

— Mais oui, je vous ai pardonné, parce que c'était mon devoir.

— Pour cela, seulement ?... Oh ! Mitsi, serait-il possible que vous ne fussiez pas touchée par mes regrets, par mon amour ?

Il saisissait la petite main froide et y appuyait ses lèvres ardentes. Mitsi ne fit pas un mouvement pour la retirer... mais en relevant les yeux, il la vit très pâle, les paupières fermées, la tête inclinée comme si elle perdait connaissance.

Il se pencha vers elle en demandant anxieusement :

— Qu'avez-vous, ma chérie ?... ma pauvre petite Mitsi !

Comme elle ne répondait pas et restait immobile, il courut appeler Mme Vannier. Ce malaise fut de courte durée, mais quand Mitsi, ayant pris congé de Christian, quitta le salon au bras de sa parente, elle restait toute pâle, avec un regard sombre et anxieux qui frappa M. de Tarlay.

« Pourvu que sa santé ne soit pas irrémédiablement atteinte ! » songea-t-il avec angoisse.

Mitsi, très souffrante le lendemain, ne put le recevoir. Il la revit les jours suivants, toujours la même, toujours énigmatique et froide. Maintenant, dans les moments où il se trouvait seul avec elle, il n'osait plus parler d'amour à ce petit sphinx aux yeux mi-clos, à cette enfant étrange, aussitôt raidie en une attitude défensive — comme si, toujours, la scène du pavillon s'interposait entre elle et lui.

Huit jours après la première rencontre des fiancés, le mariage fut célébré dans la chapelle d'un couvent voisin de l'hôtel de Tarlay. Une assistance restreinte, mais des plus choisies, put admirer le couple parfait que formaient M. de Tarlay et Mitsi. Mais la jeune mariée, sous le voile de point d'Alençon, paraissait d'une telle pâleur qu'on se demandait si elle n'allait pas se trouver mal avant la fin de la cérémonie.

Cependant, il n'en fut rien. Mitsi assista même au somptueux déjeuner qui eut lieu à l'hôtel de Tarlay, s'entretint gracieusement avec les invités aussitôt pris à son charme. Puis elle disparut, et quand Christian, ayant changé de tenue, la rejoignit dans son petit salon, il la trouva en costume de voyage, disant adieu à Mme Vannier qui finissait de remplir près d'elle son rôle maternel.

M. de Tarlay avait demandé à sa fiancée :

— Voulez-vous que nous fassions dès maintenant un voyage ?... Ou bien, comme votre santé n'est pas fort remise encore, aimez-vous mieux que nous passions l'automne à Rivalles, et que nous partions ensuite pour la Riviera, où nous resterons plusieurs mois d'hiver ?

Elle avait répondu avec son air de tranquille indifférence :

— Allons à Rivalles, si vous le voulez. Je sais que

vous avez affaire aux forges, en ce moment. Quant à moi, comme vous le dites, voyager me fatiguerait en effet.

C'était donc au Château Rose que s'en allaient les nouveaux mariés. Un délicieux coupé capitonné de soie mordorée les emportait vers la gare. Mitsi appuyait aux coussins moelleux sa petite tête coiffée d'une toque faite en plumes d'oiseaux rares, qui laissait passer les boucles légères de ses cheveux noirs. Elle tenait les yeux fermés et Christian voyait trembler ses cils, frémir sa bouche délicate que relevait légèrement un pli de souffrance.

— Êtes-vous fatiguée, chère petite Mitsi ?

Il se penchait vers elle, et sa voix prenait des intonations d'une chaude douceur qui ne lui étaient pas habituelles.

Elle répondit faiblement :

— Oui... mais ce n'est rien ; avec un peu de repos, je serai bientôt mieux.

— Vous l'aurez à Rivalles, ce repos... et des soins, de la tendresse... tout ce que je pourrai pour vous rendre heureuse, ma chérie.

Il se penchait davantage, et Mitsi sentit son souffle sur son visage. Alors elle eut un mouvement de recul, un raidissement de tout son être. Ses paupières se soulevèrent et dans le petit visage tout à coup blêmi, glacé, Christian vit des yeux pleins d'effroi, d'affolement, de farouche détresse.

Il se redressa d'un mouvement violent, et dit avec une colère contenue :

— Vous n'avez donc rien pardonné, quoi que vous en disiez ?... Oh ! rassurez-vous, je ne vous importunerai pas davantage ! C'est de vous seule, de votre confiance en moi que je veux vous tenir. Le jour où cette confiance ne vous manquera plus, Mitsi, vous me le direz.

Elle détourna la tête, comme si elle ne pouvait

supporter le regard de ces yeux assombris où la souffrance, l'irritation se mêlaient à l'orgueil blessé. En
appuyant son visage contre le capitonnage de soie,
elle ferma de nouveau ses paupières tremblantes et
Christian ne vit plus que son profil immobile, dont la
pâleur s'était accentuée encore.

10

Trois semaines après son retour à Rivalles en
compagnie de Mitsi, M. de Tarlay reçut un mot de
Svengred. Celui-ci l'informait qu'il était appelé en
Suède pour le règlement d'importantes affaires d'intérêt. Il devrait y demeurer probablement une partie
de l'hiver et, auparavant, aurait été heureux de revoir
son ami.

Christian fit part de cette lettre à Mitsi, après le
déjeuner, tandis que la jeune femme s'asseyait dans le
salon des Bergères pour parcourir les revues arrivées
par le même courrier.

— Nous pourrions l'inviter à passer quelques jours
ici, n'est-ce pas, Mitsi ?

— Mais certainement. Il est très sympathique votre
ami, et paraît avoir pour vous une grande affection.

— Oui, il m'a donné des preuves de sa solide amitié, mon cher Olaüs. En vérité, il est le seul être qui
me connaisse bien, qui ne me juge pas sur les seules
apparences.

Une amertume profonde vibrait dans sa voix. Il
jeta un sombre coup d'œil vers la jeune femme qui,
les yeux baissés, feuilletait distraitement une revue,
puis il se dirigea vers le petit salon voisin pour y
prendre une cigarette.

Les doigts de Mitsi tremblaient un peu, tandis qu'ils tournaient machinalement les pages. Un tressaillement agitait le visage menu, qui restait pâle et altéré.

Christian, un instant après, reparut dans le salon des Bergères en demandant avec une indifférence affectée :

— Que comptez-vous faire cet après-midi ?

Elle releva à peine les yeux pour répondre :

— Mais rien de particulier. Je me sens très fatiguée aujourd'hui et me contenterai d'une promenade dans les jardins.

Il fit quelques pas vers elle, en disant d'un ton où l'impatience, une sourde colère se mêlaient à l'ironie :

— Je me demande pourquoi vous semblez toujours avoir si peur de me regarder, Mitsi ! Qu'est-ce que je vous inspire donc ?... de l'horreur ? de la haine ? Dites-le-moi franchement, cela vaudrait mieux que votre attitude injurieuse.

Elle se leva d'un mouvement impétueux, et cette fois, ses yeux sombres et douloureux se plongèrent dans ceux de Christian :

— Non, je ne vous le dirai pas ! Non, certes, parce que... parce que...

Elle laissa glisser la revue à terre et, se détournant brusquement, se dirigea vers la porte-fenêtre ouverte sur la terrasse.

Christian, la bouche crispée par un amer sourire, regarda s'éloigner la souple silhouette vêtue d'une légère soie gris argenté. Le frémissant petit sphinx ne lui avait pas livré son secret. Depuis trois semaines il voyait devant lui ce visage fermé, ces yeux qui essayaient toujours d'échapper à son regard. Mitsi le fuyait autant qu'elle pouvait, passant la plus grande partie de ses journées dans l'appartement qu'il avait fait préparer pour elle, l'ancien appartement du petit

Jacques, décoré sur les instructions du châtelain avec le goût le plus délicat et une somptuosité raffinée. Ou bien elle errait dans le parc, en évitant de passer devant le pavillon italien. Au logis, elle travaillait pour les pauvres, faisait de la musique, donnait les ordres à la femme de charge qui avait remplacé Léonie, renvoyée lors du départ de la présidente... Et elle restait pâle et triste, souvent nerveuse, tremblant dès qu'elle devait se retrouver en présence de Christian, et sentant pourtant son cœur bondir d'émotion ardente à la pensée de le revoir.

M. de Tarlay, lui, s'occupait des forges avec une activité intense. Il faisait en outre de longues promenades à cheval, des courses en voiture avec les bêtes les plus difficiles de ses écuries, comme un homme cherchant à s'étourdir, à oublier. Mais quoi qu'il fît, toujours il revoyait le petit visage délicieux, les yeux pleins de troublant mystère sous leurs cils baissés, la pourpre frémissante des lèvres fermées sur le secret du cœur de Mitsi. Alors, frissonnant de colère et de passion, il songeait : « Cette existence est insoutenable ! Si elle ne peut pas me souffrir, eh bien ! qu'elle parte, cette enfant impitoyable, qui me fait payer si cher mes torts à son égard ! »

Svengred n'eut aucune peine à se rendre compte de la situation, dès qu'il se trouva en présence des deux époux réunis. Déjà, en voyant Christian qui était venu le chercher à la gare, il avait remarqué une certaine altération de son visage, un air sombre et soucieux. La mine fatiguée de Mitsi, la mélancolie de son sourire, de son regard, achevèrent de l'édifier sur la mésentente des nouveaux mariés. Christian, d'ailleurs, le lui fit entendre à demi-mot, tandis que dans l'après-midi tous deux se promenaient dans le parc.

— Elle est encore sous le coup des épreuves par lesquelles il lui a fallu passer, mon ami, plaida Svengred. Sois patient, sois bon, car la pauvre enfant est une âme très délicate, et elle a tant souffert !

— Soit, j'admets qu'elle garde contre moi de la défiance. Mais qu'elle le dise !... Oui, si elle me déteste, si elle me hait, qu'elle me le dise !... mais qu'elle cesse d'avoir cette physionomie fermée, indéchiffrable... pire que tout, je t'assure, Olaüs !

— Te détester ? Te haïr ? Oh ! mon cher Christian, je suis bien certain qu'il n'en est rien !

— Tu ne vas pourtant pas prétendre que c'est parce qu'elle m'aime qu'elle adopte cette attitude-là ?... qu'elle affecte de ne jamais porter, par exemple, les bijoux que je lui ai offerts, comme si elle en avait horreur ?... dit Christian avec une amère raillerie.

— Qui sait ? Ces âmes de jeunes filles renferment tant d'énigmes !

Svengred ne revit la jeune femme qu'un peu avant le dîner. Elle entra silencieusement dans le salon où Christian et son hôte s'entretenaient de récents événements politiques. Avec sa robe de crêpe blanc, d'une très discrète élégance, avec ses cheveux bouclés autour de son front blanc, elle avait l'air d'une toute jeune fille. Aucun bijou ne se voyait autour de son cou délicat, de ses fins poignets, et ses charmants petits doigts fuselés ne portaient d'autre bague que l'anneau de mariage.

Svengred, jetant à ce moment un coup d'œil sur son ami, le vit détourner son regard de la ravissante apparition, tandis que sa main se crispait sur un volume placé près de lui.

Mitsi parla peu pendant le dîner. Elle semblait réellement très fatiguée — ou très absorbée par une peine morale. Cependant, pendant un moment, elle reprit sa physionomie d'autrefois. Il était question des améliorations que Christian voulait apporter à l'installation des forges. Svengred lui fit observer que le logement des ouvriers demandait aussi de sérieuses réformes. Mitsi, alors, approuva chaleureusement, et sous l'empire des sentiments généreux, compatissants de l'âme éprise de justice et de bonté, la physionomie fermée s'anima, les beaux yeux retrouvèrent leur chaude lumière et redevinrent « les yeux de feu » qui, autrefois déjà, avaient si vivement frappé M. de Tarlay en Mitsi enfant.

Mais soudainement, voyant fixé sur elle le regard ardent de Christian, la jeune femme rougit, baissa les paupières et ne parla plus.

Comme les châtelains et leur hôte revenaient au salon, un domestique vint prévenir M. de Tarlay qu'un homme arrivait des forges, lui apportant un message. Christian s'éloigna et revint peu après, en annonçant qu'un accident venait de se produire, et qu'il lui fallait se rendre aux forges, l'ingénieur chargé de la direction se trouvant en congé.

— Il n'y a pas de blessés? demanda Mitsi avec inquiétude.

— Si, un ouvrier a été atteint, mais légèrement. Les dégâts matériels sont considérables, paraît-il; mais cela n'a qu'une importance secondaire... Je pars à l'instant. Peut-être rentrerai-je un peu tard. En tout cas, je te dis bonsoir, mon cher Olaüs.

Ils se serrèrent cordialement la main. Puis Christian se tourna vers sa femme :

— Vous devriez demander à Svengred un peu de musique, Mitsi. Je suis certain que vous goûterez son talent... A demain.

Il s'inclina sur la main que lui tendait la jeune femme et l'effleura de ses lèvres. Puis il s'éloigna... Et Svengred, qui regardait discrètement Mitsi, vit qu'elle le suivait des yeux, à l'ombre de ses cils baissés.

— Voyons, qu'allez-vous me jouer, monsieur?

Elle se tournait vers le jeune Suédois, avec un sourire léger, un peu contraint :

— ... Christian m'a dit que vous interprétiez admirablement Mozart. Or, je sais qu'il est très difficile en musique... Jouez-moi donc du Mozart, voulez-vous?

— Tout ce qui vous sera agréable, madame.

Tandis qu'il se dirigeait vers le piano, elle fit quelques pas à travers la pièce, avec un air distrait, absorbé. Puis elle s'approcha d'une des portes-fenêtres, prit au passage une rose dans une jardinière et s'arrêta au seuil de la terrasse, en s'appuyant légèrement au vitrage.

Svengred joua longuement. Mozart était son maître de prédilection, dont il comprenait intimement la pensée. En outre, ce soir, il mettait dans son jeu toute la mélancolie, toute la ferveur de sa pure tendresse pour cette jeune femme qui l'écoutait, ignorante de ce noble attachement, absorbée dans le souvenir d'un autre... Enfin le piano se tut. Svengred se leva, fit quelques pas vers Mitsi. Elle parut sortir d'un songe. En regardant le jeune homme, elle dit avec un sourire ému :

— Quel charme de vous entendre! Voyez, les moments ont passé sans que je m'en aperçoive!

Elle désignait la grande et superbe horloge du XVIIe siècle, posée non loin de là, sur un socle de marqueterie.

Svengred s'exclama :

— Comment, déjà cette heure? Vraiment, j'ai abusé!...

— Pas le moins du monde. La preuve, c'est que je vous demanderai de recommencer demain. D'ailleurs, il le faudra pour Christian, qui n'a pas eu le plaisir de vous entendre ce soir... et qui ne l'aura pas d'ici quelque temps, puisque vous nous annoncez une absence de plusieurs mois.

— Oui, je ne compte pas revenir avant la fin de l'hiver. Là-bas, d'ennuyeuses affaires m'attendent...

et de plus, je pars plein de soucis en laissant mon ami malheureux.

Mitsi tressaillit légèrement et détourna son regard de celui du Suédois, chargé de reproche et de tristesse.

Après un court silence, pendant lequel il vit pâlir et palpiter d'angoisse le charmant visage, Svengred reprit d'un ton bas, vibrant d'émotion :

— Serait-ce donc vrai, ce qu'il croit ?... Le détestez-vous, cet homme qui vous a manqué gravement, certes, mais qui a réparé par ses regrets, par son amour sincère, par la patience si dure à une nature telle que la sienne ?

D'un brusque mouvement, Mitsi se tourna vers son interlocuteur. A la lumière des candélabres qui éclairaient le salon, Svengred vit ses yeux étinceler de colère farouche :

— Est-ce lui qui vous a chargé de me dire cela ?

— Non, madame ! C'est de moi-même que je viens essayer d'éclairer votre conscience... Car une femme élevée comme vous dans les principes de l'Évangile commet une grande faute en conservant dans son cœur le ressentiment, le désir de la vengeance...

Une sorte de rire sourd, douloureux, l'interrompit :

— Le ressentiment ?... La vengeance ?

Ses lèvres se crispèrent, et de nouveau Svengred ne vit plus ses yeux. Elle poursuivit d'une voix plus basse, oppressée, frémissante :

— Vous vous trompez sur mes sentiments. Si j'avais à l'égard de Christian ceux que vous croyez, je le lui aurais déjà dit.

— Alors ?

Elle ne répondit pas et, détournant la tête, froissa nerveusement entre ses mains la rose qu'elle tenait encore.

— Alors ? insista Svengred, haletant lui aussi.

Elle dit de la même voix basse, où passaient des intonations passionnées :

— Vous ne savez pas ce qu'on peut souffrir, quand on a peur de celui qu'on aime !

— Vous avez peur de Christian ?

— Oui... Je sais qu'avant moi il a aimé bien d'autres femmes, et qu'il en aimera d'autres encore, quand j'aurai cessé de lui plaire. Alors je ne peux pas... je ne peux pas supporter cette pensée !

La rose glissa d'entre les doigts tremblants, et Mitsi enfouit entre ses mains son visage qui brûlait. Elle répéta avec une sorte de violence :

— Je ne peux pas !... Et j'ai peur de lui, de son amour qui me prendra le cœur, pour le briser ensuite. Car je sais bien qu'il n'est qu'un orgueilleux, un profond égoïste, cet homme qui a autrefois repoussé dédaigneusement une pauvre enfant malheureuse, qui n'a témoigné qu'indifférence pour ce cher petit Jacques, et après, qui n'a pas eu pitié de moi... Oh ! oui, je sais combien il me ferait souffrir !

Les épaules de Mitsi frissonnèrent longuement sous la soyeuse étoffe blanche.

Svengred prit une des mains tremblantes et dit avec un accent de grave douceur :

— Non, vous ne souffrirez pas près de lui, enfant trop craintive. Je suis depuis l'enfance le seul ami intime de Christian — c'est-à-dire plus qu'un frère, car l'on fait souvent à son ami les confidences qu'on refuse au frère. Me croirez-vous si je vous dis qu'avant de vous connaître, son cœur était resté entièrement libre ? Me croirez-vous si je vous affirme la sincérité, la force de ses sentiments pour vous, et si je vous déclare : « Ayez confiance en lui, pour le présent, pour l'avenir ! »

Mitsi leva les yeux sur ce loyal visage, animé de la plus généreuse émotion. L'angoisse, l'hésitation se mêlaient en son regard à une sorte de joie craintive. Elle demanda, la voix tremblante :

— Vous êtes sûr qu'il m'aime comme vous dites... et que... je puis l'aimer ?

— Vous m'avez inspiré trop de profonde estime, Mitsi, trop de respectueuse admiration, pour que je veuille vous leurrer, même au profit de mon meilleur ami. Votre bonheur m'est aussi cher que celui de Christian... et je sais que l'un et l'autre ne peuvent être obtenus que par votre complet accord. Allez donc à lui sans peur; c'est votre devoir, et ce sera la fin de cette détresse, de ces souffrances que vous vous imposiez, petite âme méfiante en qui subsiste, sans que vous en ayez conscience, un peu de rancune du passé.

Un sourire — presque le sourire de l'ancienne Mitsi — entrouvrit les lèvres de la jeune femme :

— Peut-être avez-vous raison. Mais sincèrement, je ne m'en rendais pas compte. Maintenant, c'est fini...

Ses yeux brillaient d'une joie contenue. Pendant un moment, ils se détournèrent de Svengred, se plongèrent dans la nuit des jardins d'où montaient des parfums légers. Puis, les ramenant sur le Suédois, Mitsi dit avec une chaude douceur :

— Je vous remercie, mon ami.

Sa main, un peu fiévreuse, serra celle du jeune homme. Svengred se courba, mit un discret baiser sur ces doigts délicats. Puis il s'éloigna, calme en apparence, mais terriblement ému au fond de son âme, agitée par les derniers remous de son chevaleresque amour. Près de la porte du salon, il se détourna. Mitsi n'avait pas bougé, mais de nouveau elle regardait les ténèbres, la tête un peu penchée, le visage palpitant, les mains jointes sur sa robe blanche. Svengred songea : « Elle l'attend ! » Et se détournant, il sortit, emportant cette vision d'une joie qui était son œuvre.

Au bout d'un long moment, Mitsi s'évada du songe qui l'entraînait vers d'éblouissants horizons. Elle passa la main sur son front, fit quelques pas sur la terrasse et murmura :

— Comme il tarde !

Puis, après un instant de réflexion, elle se dirigea vers son appartement.

Marthe l'attendait. Elle l'aida à quitter sa toilette de dîner, à revêtir une robe d'intérieur. Puis Mitsi renvoya la dévouée servante en disant :

— Allez vite vous coucher, ma bonne Marthe; je n'ai plus besoin de vous.

Quand la femme de chambre eut disparu, Mitsi passa dans le salon qui avait été autrefois la pièce de prédilection du petit Jacques. Elle était décorée de délicates boiseries du XVIIIe siècle, et Christian y avait fait disposer un authentique et admirable mobilier de la même époque. Tous les détails de cet arrangement avaient été étudiés par lui, avec l'exigence d'un homme très épris doublé d'un homme de goût. Mais l'indifférence, seule, avait répondu à ce désir de donner à Mitsi un cadre digne de sa beauté, à cet ardent souci de lui plaire, de conquérir son cœur farouche.

Elle s'arrêta au milieu de la pièce. Des glaces lui renvoyaient son image. Elle se vit, svelte, souple dans la robe de soie blanche rayée d'argent, aux longs plis flottants retenus à la taille par une ceinture de velours bleu de roi. Et elle ne se reconnut pas en cette jeune femme au visage rosé, aux yeux brillants, au sourire de bonheur.

S'approchant d'un meuble, elle prit un écrin d'où elle sortit la bague de fiançailles. Quand elle l'eut mise à son doigt, un soupir gonfla sa poitrine, l'ombre, de nouveau, parut sur son regard. Mais elle secoua la tête, en murmurant énergiquement :

— Non, non, je ne veux plus douter !... Svengred

a raison, j'allais contre mon devoir. Si Christian me fait souffrir plus tard, Dieu me donnera la force de porter cette épreuve. Car c'est mal d'avoir trop peur de la vie.

Elle se rapprocha d'une des portes vitrées ouvertes sur la terrasse. L'air était tiède encore, en cette soirée de septembre. Mitsi fit quelques pas sur le sol de marbre. Son regard se dirigeait vers une des fenêtres voisines, d'où s'échappait une clarté voilée. La jeune femme s'avança encore, et se trouva au seuil du cabinet de travail de Christian.

Une forte lampe garnie d'un abat-jour de soie verte éclairait une partie de la grande pièce décorée avec une noble somptuosité. Près du bureau, le dogue Attila était étendu. Il leva la tête et, reconnaissant Mitsi, vint à elle, d'un pas majestueux.

Elle caressa la tête du puissant animal, distraitement. Toute son attention se portait sur cette pièce vide, où les objets eux-mêmes semblaient attendre le maître. Puis, en hésitant, elle avança...

Une légère odeur de tabac flottait dans l'atmosphère. Sur le bureau un volume était entrouvert, les lettres arrivées par le dernier courrier emplissaient un plateau. Plusieurs cigarettes à demi consumées s'amoncelaient dans le cendrier d'or niellé... Mitsi se souvint d'avoir entendu un jour Christian dire à Mme Vannier :

— Oh ! moi, je ne deviens un grand fumeur que lorsque des soucis m'obsèdent. Alors, c'est effrayant.

Elle soupira, le cœur gonflé de remords. Son pas léger foula le tapis de haute laine, s'enfonça dans une peau de tigre. Elle s'assit en un grand fauteuil et dit au chien qui l'avait suivie :

— Nous allons attendre le maître, Attila.

L'énorme bête se coucha à ses pieds. Mitsi ferma les yeux. Fatiguée déjà, elle ne pouvait qu'éprouver une grande lassitude à la suite de l'émotion provoquée par son entretien avec Svengred. Aussi, l'absolu silence aidant, tomba-t-elle bientôt en une sorte de somnolence.

Quand, peu après, Christian ouvrit la porte, il crut d'abord rêver. Mitsi... était-ce Mitsi?... Chez lui?

Au bruit de la porte, la jeune femme avait soulevé les paupières. Elle tressaillit, rougit et se leva lentement :

— Je voulais avoir des nouvelles... Cet accident?

Sa voix tremblait; mais les beaux yeux, où brillait l'émotion profonde qui agitait le cœur de Mitsi, regardaient cette fois bien en face ceux de Christian.

— Peu de chose, comme je le pensais... Mais vous vous êtes fatiguée à attendre...

Il parlait sans trop savoir ce qu'il disait. Et il venait à la jeune femme qui maintenant lui souriait, d'un timide et frémissant sourire.

— ... Oui, vous n'êtes pas raisonnable, Mitsi. Vraiment, je devrais vous gronder...

— Oh! vous avez le droit de le faire... mais pas pour cela.

Elle souriait toujours, et son regard devenait plus doux encore, chargé de chaude tendresse.

Christian, ébloui, n'osant comprendre, demanda :

— Pourquoi donc?

D'un mouvement léger, elle se rapprocha de lui et, penchant la tête sur son épaule, elle dit tout bas :

— Vous le savez bien, mon Christian.

Il l'entoura de ses bras, passionnément, et murmura dans un baiser :

— Te voilà donc, enfant cruelle et tant chérie ! Enfin, tu m'as véritablement pardonné !

ROMANS-TEXTE INTÉGRAL

ÉDITIONS J'AI LU

31, rue de Tournon, 75006-Paris

diffusion

France et étranger : Flammarion - Paris
Suisse : Office du Livre - Fribourg
Canada : Flammarion Ltée - Montréal

IMPRIMÉ EN FRANCE PAR BRODARD ET TAUPIN
7, bd Romain-Rolland -Montrouge.
Usine de La Flèche, le 05-09-1978.
6278-5 - Dépôt légal 3ᵉ trimestre 1978.
ISBN : 2 - 277 - 11890 - 7